Kate Thompson • Zwischen den Zeiten

DIE AUTORIN

Foto: © Random House UK

Kate Thompson, geboren 1956, lebte in England und in den USA und unternahm ausgedehnte Reisen durch Indien, bevor sie sich in Kinvara im irischen County Galway niederließ. Ihre Gedichte, Romane und Kinder- und Jugendbücher wurden vielfach ausgezeichnet.

Von Kate Thompson ist bei cbt außerdem erschienen:

Der vierte Reiter (30402)
Das silberne Pferd (30447)

Kate Thompson

Zwischen den Zeiten

Aus dem Englischen
von Kattrin Stier

cbt – C. Bertelsmann Taschenbuch
Der Taschenbuchverlag für Jugendliche
in der Verlagsgruppe Random House

Verlagsgruppe Random House FSC-DEU-0100 Das für dieses Buch verwendeteFSC-zertifizierte Papier
München Super Extra liefert Arctic Paper Mochenwangen GmbH

1. Auflage
Erstmals als cbt Taschenbuch August 2009
Gesetzt nach den Regeln der Rechtschreibreform

Die englische Originalausgabe erschien 2005 unter dem Titel »The New Policeman« bei The Bodley Head, an imprint of Random Children's Books, London.

Übersetzung: Kattrin Stier
Lektorat: Ulrike Hauswaldt
Umschlaggestaltung: Zeichenpool, München
Umschlagillustration:
Figur: shutterstock/Natasha R. Graham
Ring: shutterstock/Johannes Wiebel
Hintergrund: Bildarchiv Zeichenpool
SE • Herstellung:
Satz: Uhl + Massopust
Druck: GGP Media GmbH, Pößneck
ISBN 978-3-570-30582-9
Printed in Germany

www.cbt-jugendbuch.de

VOR einigen Jahren wurde in Kinvara eine Auktion veranstaltet, um Geld für ein neues Gemeindezentrum zu sammeln. Dabei handelte es sich um eine Auktion von Versprechen; die Leute boten also keine Sachspenden an, sondern Versprechen, die ihren persönlichen Fähigkeiten entsprachen – alles von Computerunterricht bis zu Musikstunden, von Malerarbeiten bis zur Autoreparatur. Ich wurde gefragt, ob ich versprechen würde, den Namen einer Person in mein nächstes Buch einzubauen. Und die erfolgreiche Bieterin an jenem Abend war eine ortsansässige Verlegerin von schönen Landkarten und Reiseführern der Gegend.

Es dauerte einige Zeit, bis ich dazu kam, das nächste Buch zu schreiben, und in der Zwischenzeit lernte ich die Verlegerin bei einer Veranstaltung in *The Auld Plaid Shawl* kennen. Unsere Unterhaltung entwickelte sich fast zum Streit über die genaue Auslegung des Versprechens. Meiner Meinung nach war ich nur verpflichtet, ihren Namen für eine Figur meiner Wahl zu verwenden, aber sie war überzeugt, dass ich ein Buch schreiben müsse, in dem sie tatsächlich vorkam. Anschließend war ich entschlossen, hart zu bleiben und lediglich ihren Namen zu verwenden, aber im Laufe der nächsten Wochen und Monate wurde mir klar, dass sie, ohne es zu wollen, den

Samen zu einer Idee gelegt hatte, die sich mit anderen Ideen verband, die bereits in meinem Kopf herumspukten und schließlich zu *Zwischen den Zeiten* führten.

Die Verlegerin heißt Anne Korff und ihr werdet sie gleich kennen lernen. Abgesehen von der Nennung einiger wirklich legendärer Musiker wie Micho Russel, Paddy Fahey u. a. gibt es nur zwei weitere wirklich existierende Personen in diesem Buch. Das sind Séadna Tobín, der Fiddle spielende Apotheker von Kinvara, und Mary Green, die Wirtin von *Green's Pub*.

Mein Dank gilt Máire O'Keeffe für ihre unschätzbare Hilfe bei den Musikstücken.

Für alle Spieler in Vergangenheit und Gegenwart,
durch deren Liebe diese Musik so lebendig geblieben ist.

Danke für die Stücke.

DIE Stücke in diesem Buch stammen aus verschiedensten Quellen. Die meisten davon habe ich im Laufe der letzten Jahre von anderen Musikern gelernt und sie nun aus dem Gedächtnis niedergeschrieben. Andere stammen aus einer Vielzahl von Veröffentlichungen, darunter »O'Neills Dance Music of Ireland« und Breandán Breathnachs ausgezeichneter Serie »Ceol Rince na hÉireann«. Soweit ich feststellen konnte, sind alle Stücke, die ich verwendet habe (mit Ausnahme von vieren), traditionell überliefert und die Komponisten (mit einer Ausnahme) nicht bekannt. Für die Erlaubnis, Paddy O'Briens »The One That Was Lost« in dieses Buch aufzunehmen, danke ich Eileen O'Brien. Keines der übrigen Stücke unterliegt dem Copyright.

Es gibt viele unterschiedliche Methoden, traditionelle irische Musik zu transkribieren, und die, für die ich mich entschieden habe, wird nicht jedem gefallen. Ich hoffe aber, dass sie allen, die Lust haben, sie zu spielen, einen einfachen Zugang zu den Stücken ermöglicht. Für Neulinge auf dem Gebiet der irischen Musik, die gerne mehr erfahren und lernen möchten, scheint mir der beste Weg, sich einen guten Lehrer zu suchen. Falls das nicht möglich ist, gibt es auch viele hervorragende Schulen zu kaufen. Für die Fiddle würde ich »The Irish Fiddle Book« von Matt Crannitch empfehlen.

TEIL 1

1

JJ Liddy und sein bester Freund Jimmy Dowling hatten häufig Streit. JJ nahm das nie ernst. Er betrachtete es sogar als Zeichen für die Stärke ihrer Freundschaft, weil sie sich immer gleich wieder vertrugen. Anders als manche Mädchen in der Schule, die sich derartig in die Wolle bekamen, dass sie sich in längere Schlachten verstrickten. Aber an jenem Tag Anfang September, noch während der ersten Schulwoche, hatten sie einen Streit wie nie zuvor.

JJ konnte sich nicht einmal mehr erinnern, worum es eigentlich gegangen war. Aber am Schluss, zu dem Zeitpunkt, an dem sie sich üblicherweise gegenseitig verziehen und sich wieder vertrugen, hatte Jimmy die Bombe platzen lassen.

»Ich hätte es besser wissen müssen und mich gar nicht erst mit dir einlassen sollen, nach dem, was meine Großmutter mir über die Liddys erzählt hat.«

Auf seine Worte folgte eine entsetzliche Stille, voller Verwirrung aufseiten JJs und Scham aufseiten Jimmys. Er wusste, dass er zu weit gegangen war.

»Was ist mit den Liddys?«, fragte JJ.

»Nichts.« Jimmy wandte sich um und ging auf das Schulgebäude zu.

JJ stellte sich vor ihn. »Sag schon. Was hat sie dir erzählt?«

Jimmy hätte sich vielleicht herauswinden und so tun können, als sei alles nur ein Scherz gewesen, aber man hatte sie belauscht. Er und JJ waren nicht mehr allein. Zwei andere Jungen, Aidan Currie und Mike Ford, hatten alles mit angehört und mischten sich jetzt ein.

»Mach schon, Jimmy«, sagte Aidan. »Jetzt kannst du's ihm sagen.«

»Ja«, sagte Mike. »Wenn er es noch nicht weiß, dann ist er wohl der einzige Mensch im ganzen Landkreis.«

Die Glocke klingelte zum Ende der großen Pause. Aber keiner schenkte ihr Beachtung.

»*Was* soll ich wissen?«, fragte JJ. Ihm war kalt, und er hatte Angst, nicht vor etwas, was geschehen könnte, sondern vor etwas, was er in sich trug, in seinem Blut.

»Es ist schon lange her«, sagte Jimmy, der weiter versuchte, einen Rückzug zu machen.

»Was ist lange her?«

»Einer der Liddys ...« Jimmy sagte noch mehr, aber er murmelte es so in sich hinein, dass JJ nichts hören konnte. Es klang wie »hat den Karren geordnet«.

Der Lehrer, der Hofaufsicht hatte, rief sie hinein. Jimmy ging auf das Schulgebäude zu. Die anderen folgten ihm.

»*Was* hat er?«, fragte JJ.

»Vergiss es«, sagte Jimmy.

Es war Aidan Currie, der es sagte, so laut, dass JJ und alle anderen es hören konnten. »Das weiß doch wohl jeder. Dein Urgroßvater. JJ Liddy, genau wie du. Der hat den Pfarrer ermordet.«

JJ blieb wie vom Donner gerührt stehen. »Niemals!«

»Doch, hat er«, sagte Mike. »Und nur wegen einer alten hölzernen Flöte.«

»Ihr seid ein Haufen Lügner!«, sagte JJ.

Die Jungen lachten, mit Ausnahme von Jimmy.

»Die Liddys waren halt schon immer verrückt nach Musik«, sagte Mike.

Er fing an, in einer albernen Parodie von irischem Volkstanz auf die Schule zuzuhüpfen und zu springen. Aidan trottete nebenher und sang dabei eine misstönende Version von *The Irish Washerwoman*. Jimmy warf einen Blick zurück auf JJ und folgte ihnen dann mit gesenktem Kopf hinein.

JJ stand allein auf dem Hof. Es konnte nicht wahr sein. Aber bei näherem Nachdenken wurde ihm klar, dass da immer etwas gewesen war in der Art und Weise, wie manche der Einheimischen ihm und seiner Familie begegneten. Viele aus der Gemeinde kamen zu den Céilís* und den Set-Dance-Volkstanzstunden, die samstags bei ihnen zu Hause abgehalten wurden. Sie waren schon immer gekommen und vor ihnen ihre Eltern und Großeltern. In den letzten Jahren war die Zahl der Teilnehmer rasant gestiegen, durch den Zuzug von neuen Leuten in der Gegend. Einige fuhren über dreißig Meilen weit. Aber es gab auch eine große Zahl von Einheimischen, die nichts mit den Liddys und ihrer Musik zu tun haben wollten. Und solche Leute hatte es immer gegeben. Sie wechselten nicht gerade die Straßenseite, um JJ und seiner Familie aus dem Weg zu gehen, aber sie redeten auch nicht mit ihnen. Wenn JJ überhaupt darüber nachgedacht hatte, dann war er immer davon ausgegangen, es läge daran, dass seine Eltern eines der wenigen Paare in der Gegend waren, die nicht verheiratet waren, aber was, wenn das nicht der wahre Grund war? Wenn es nun wirklich so geschehen war? Konnte JJ Nachfahre eines Mörders sein?

* Wenig bekannte Begriffe, besonders aus der irischen Volksmusik und der keltischen Mythologie, werden im Glossar ab Seite 308 erläutert.

»Liddy!«

Der Lehrer stand an der Tür und wartete auf ihn.

JJ zögerte. Einen Augenblick lang schien es ihm, als könnte er nie wieder einen Fuß in diese Schule setzen. Dann fiel ihm die Lösung ein.

Der Lehrer schloss die Tür hinter ihm. »Kannst du mir sagen, was das soll, dass du da draußen wie angewachsen herumstehst?«

»'tschuldigung«, sagte JJ. »Ich wusste nicht, dass Sie mit mir gesprochen haben.«

»Mit wem sollte ich wohl sonst sprechen, Liddy?«

»Ich heiße Byrne«, sagte JJ. »Meine Mutter heißt Liddy, das stimmt, aber mein Vater heißt Byrne. Ich bin JJ Byrne.«

The Legacy
Trad

2

DER neue Polizist stand auf dem Gehweg vor *Green's Pub.* Auf der anderen Seite der verriegelten Tür war eine Gruppe von Musikanten in vollem Gange und der kräftige Zusammenklang ihrer Instrumente übertönte das bienenstockartige Summen der vielen Unterhaltungen. Auf der anderen Straßenseite klatschte die steigende Flut gegen die Mauern des winzigen Hafens. Unter unsichtbaren Wolken lag das Wasser bleigrau da, mit schlammig bronzefarbenem Glitzern, wo sich die Straßenlaternen in ihm spiegelten. Die Oberfläche war unruhig. Wind kam auf. Bald würde es regnen.

Drinnen im Pub gab es einen kurzfristigen Schluckauf in der Musik, als ein Stück endete und das nächste begann. Ein paar Takte lang spielte nur eine einsame Flöte die neue Melodie, bis die anderen Musiker sie erkannten und einstimmten und das alte Gasthaus bis an die Dachbalken mit Klang erfüllten. Draußen auf der Straße erkannte Garda O'Dwyer die Melodie. In den schwarzen Uniformschuhen zuckten seine eingezwängten Zehen im Takt. Am Straßenrand hinter ihm beugte sich sein Partner, Garda Treacy, über den leeren Beifahrersitz des Streifenwagens und klopfte ans Fenster.

Larry O'Dwyer seufzte und trat einen Schritt auf die schmale zweiflügelige Tür zu. Er war aus gutem Grund Polizist geworden, aber manchmal fiel es ihm schwer, sich zu erinnern, was es gewesen war. Auf jeden Fall nicht das hier, da war er sich sicher. Er war nicht Polizist geworden, um dem Vergnügen von Musikanten und deren Publikum ein Ende zu bereiten. Wenige Meilen entfernt, in der Großstadt Galway, stieg die Kriminalitätsrate dramatisch an. Straßenbanden waren in alle möglichen Schlägereien und Überfälle verwickelt. Dort könnte er von weit größerem Nutzen für die Allgemeinheit sein. Aber auch das war, soweit er sich erinnern konnte, nicht der Grund gewesen, warum er Polizist geworden war. Es gab Momente wie diesen, in denen er vermutete, dass es kein besonders guter Grund gewesen war.

Wieder wechselte die Melodie. Das Licht im Streifenwagen ging an, als Garda Treacy die Tür öffnete. Larry hielt seinen tippenden Fuß still und klopfte an Mary Greens Tür.

Drinnen im Pub verstummten die Kehlen, Unterhaltungen brachen ab, das Dröhnen der Stimmen wurde leiser und erstarb. Einer nach dem anderen stiegen die Musikanten aus dem Stück aus, und für einen Augenblick blieb nur eine selbstvergessene Fiddle übrig, die voller Begeisterung alleine weiterspielte. Schließlich gelang es jemandem, ihre Aufmerksamkeit zu erregen, und die Musik brach mitten im Takt ab. Danach war nur noch ein Geräusch zu hören, Mary Greens leichte Schritte über den Estrich.

Eine der schmalen Türen öffnete sich einen Spaltbreit. Marys besorgtes Gesicht erschien. Hinter ihr konnte Larry Anne Korff auf einem Barhocker balancieren sehen. Sie war eine der wenigen Dorfbewohnerinnen, die er bereits kennen gelernt hatte. Er hoffte, es würde nicht notwendig sein, ihre Personalien aufzunehmen.

»Tut mir sehr Leid«, sagte er zu Mary Green. »Es ist Viertel vor eins.«

»Sie machen gerade Schluss«, sagte Mary mit Nachdruck. »In fünf Minuten sind sie weg.«

»Das hoffe ich«, sagte Larry. »Das wäre das Beste für alle hier.«

Während er zum Wagen zurückging, fielen die ersten Regentropfen auf die Oberfläche des Meeres.

THE NEW POLICEMAN
Trad

3

SIE fielen auch auf JJ Liddy – oder JJ Byrne, wie er sich jetzt nannte. Sie fielen auf seinen Vater Ciaran und auf die letzten Heuballen auf dem Ringfeld, die sie auf den Flachbett-Hänger luden. Das Ringfeld war die höchstgelegene Wiese auf ihrem Land.

»Na, wenn das kein Timing war!«, sagte Ciaran.

JJ gab keine Antwort. Er war zu müde, um zu antworten. In seinen Handschuhen waren die Finger wund gescheuert von den hunderten von Ballenschnüren, die an diesem Abend durch seine Hände gegangen waren. Er warf den letzten Ballen hinauf. Ciaran stapelte ihn ordentlich auf und ließ sich dann in den Fahrersitz des Traktors fallen. JJ half Bosco hoch in die Kabine. Der Hund war zu alt und steif, um noch selbst hochzuspringen, aber er war nicht zu alt, um bei allem, was auf dem Hof passierte, dabei sein zu wollen. Wo immer gearbeitet wurde, da war auch Bosco.

Ciaran ließ die Kupplung kommen und der alte Traktor rumpelte und ratterte über die frisch gemähte Wiese. JJ kletterte auf die Heuballen. Der Regen wurde stärker. Tropfen schnitten durch den Strahl der Scheinwerfer, während sie am Ringfort entlangfuhren und schließlich auf den ausgewaschenen Feldweg einbogen, der zum Hof hinunterführte.

Ciaran hatte Recht. Es war ein gutes Timing. Das Heu, das sie gerade in Sicherheit gebracht hatten, war eine späte Ernte, fast wie ein nachträglicher Einfall der Natur. Der Sommer war feucht gewesen, und ihre vorhergehenden Versuche, Heu zu machen, waren gescheitert. Schließlich hatten sie Lohnarbeiter anheuern müssen, die das, was von ihrer Mahd übrig war, in schwarzes Plastik verpackten. Es war zu nass für Heu gewesen und nicht frisch genug für Silage. Die entstandene Mischung nannten sie Heulage, aber das war nur ein schöner Name. Selbst wenn das Vieh hungrig genug war, es zu fressen, würden die Tiere nicht viele Nährstoffe daraus ziehen können. Aber dieser Schnitt war gut und würde einen Teil des Futtermangels, wenn auch lange nicht alles, wieder wettmachen. Landwirtschaft war ein hartes Brot.

Der Anhänger schwankte. Vorne in der Fahrerkabine konnte JJ Boscos Schwanz wedeln sehen, während er von einer Seite auf die andere geschleudert wurde. Rechts von ihnen, jenseits des Elektrozaunes, lag Molly's Place, das Feld hinter dem Haus, das die Liddys einmal nach einem längst vergessenen Esel benannt hatten. Ein gefleckter Strom bewegte sich nun darüber wie ein Fischschwarm, der durch die schwarzen Tiefen des Meeres glitt. Die Ziegen – weiße Saanens und braunweiße Toggenburgs – liefen zu ihrem Unterstand am Rande des Hofes.

Ziegen konnten Regen nicht ausstehen. Genau wie JJ. Jetzt da er nicht mehr arbeitete, war seine Körpertemperatur rapide gesunken. Tropfen rannen ihm aus den Haaren und brannten in seinen Augen. Er sehnte sich nach seinem Bett.

Ciaran drehte mit dem Traktor eine Runde im Hof. »Wir laden morgen früh ab.«

JJ nickte, sprang von den Ballen herunter und gab Ciaran Handzeichen, der den Hänger rückwärts in die leere Bucht des Heuschobers rangierte. Seine Mutter, Helen, trat aus der Hintertür und kam herüber.

»Perfektes Timing«, sagte sie. »Der Tee ist gerade fertig.«

Aber JJ ging schnurstracks vorbei an der Kanne, die auf der Arbeitsplatte in der Küche vor sich hin dampfte, und vorbei an den Tellern mit frischen Scones auf dem Tisch. Oben in seinem Zimmer lag die Schultasche offen auf dem Bett und spuckte überfällige Hausaufgaben aus. Er warf einen Blick auf die Uhr. Wenn er am nächsten Morgen eine halbe Stunde früher aufstünde, könnte er wenigstens einen Teil davon erledigen.

Er warf die Tasche samt Inhalt auf den Fußboden, und während er den Wecker stellte, fragte er sich, wie er es sich jeden Tag fragte, wohin um alles in der Welt nur die Zeit verschwand.

THE NEW-MOWN MEADOW
Trad
5
9
13

4

Es war ja gar nicht so, dass Mary Green etwas dagegen gehabt hätte, dass ihre Gäste gingen. Der Ausschank war dicht, und sie hatte die Leute eindringlich gebeten zu gehen, nachdem der neue Polizist geklopft hatte. Die meisten der Stammgäste hatten ausgetrunken und waren gegangen, aber nicht alle. Einige der Musiker kamen von außerhalb, und es war eine der besten Sessions, die sie seit Jahren gespielt hatten. Ihre Finger, ihre Bögen, ihr Atem – ja, wie es schien, die Instrumente selbst – waren alle vom Geist dieser wilden, anarchischen Musik überwältigt worden. Sie wollten Mary folgen, die unruhig hin und her lief und besorgt die Hände rang, aber sie konnten einfach nicht. Melodien, die sie jahrelang nicht mehr gehört hatten, kamen ihnen plötzlich in den Kopf und verlangten, gespielt zu werden. So war es immer im *Green's*. Der Ort hatte einfach etwas Besonderes an sich.

Es war 1.30 Uhr. Draußen auf der Straße stand Garda Larry O'Dwyer im strömenden Regen, wie gelähmt von der Schönheit der Musik hinter Marys verdunkelnden Vorhängen. Aber diesmal stand Garda Treacy neben ihm und wartete nur darauf hineinzugehen.

»Es bringt Unglück, sie mitten in einem Stück zu unterbrechen«, sagte Larry, aber Treacy polterte bereits gegen die Tür.

Mary öffnete. »Sie sind schon weg«, sagte sie. »Sie haben schon alles eingepackt.«

Die beiden Polizisten zwängten sich an ihr vorbei und konnten gerade noch ein Paar Absätze und einen Geigenkasten durch die Hintertür verschwinden sehen. Larry wusste, dass er beides schon einmal gesehen hatte. Er wusste auch, wie sinnlos der Versuch war, sich zu erinnern, wo es gewesen sein könnte. Bevor noch irgendjemand anderes auf dieselbe Weise entschwinden konnte, durchquerte Garda Treacy den Gastraum und stellte sich neben die Hintertür. Unterwegs zückte er sein Notizbuch. Alle Tische, selbst die, um die die Musiker herumsaßen, waren abgeräumt und sauber. Es war die Musik, nicht die Getränke, die die Gesellschaft dort zusammengehalten hatte. Dennoch kamen sie alle in Konflikt mit dem Gesetz.

Garda Treacy fing an, die Namen der Musiker aufzuschreiben. Larry zog ebenfalls sein Notizbuch.

»Aber das ist doch nicht nötig«, sagte Mary Green hilflos. »Sie gehen doch jetzt sowieso.«

Anne Korff saß an derselben Stelle, an der Larry sie zuletzt gesehen hatte, auf einem Barhocker neben der Eingangstür. Er schlug das Notizbuch auf und zog die Kappe von seinem Stift.

»Name?«

»Ähm… Lucy Campbell«, sagte Anne Korff mit ausgeprägtem deutschem Akzent.

»Lucy Campbell«, sagte Larry und fixierte sie mit einem Blick, der streng wirken sollte.

Sie unterdrückte das Lächeln, das immer noch um ihre Mundwinkel spielte. »Ja, richtig. Lucy. L-U-C-«

Larry seufzte. »Ich weiß, wie man das schreibt.« Er notierte den Namen. Etwas anderes blieb ihm kaum übrig. Er kannte ihren richtigen Namen. Aber schließlich kannte sie auch seinen richtigen Namen.

Lucy Campbell
Traditional

5

HELEN war schon draußen beim Melken, als JJ aufstand. Auf dem Tisch stand eine Kanne Tee. Er trank eine Tasse und vertiefte sich in seine Schularbeiten. Bis Helen wieder nach drinnen kam, hatte er sich durch die Matheaufgaben gekämpft und versuchte, mit einem Geschichtsaufsatz zurande zu kommen. Helen ging auf Zehenspitzen um ihn herum, kochte neuen Tee, stellte Müsli und Milch auf den Tisch, schnitt Brot für den Toaster, aber er spürte, dass ihre Augen immer wieder am Umschlag seines neuen Matheheftes hängen blieben. Er dachte zunächst, sie würde es vielleicht nicht beachten. Aber er hatte sich getäuscht.

»Wieso bist du plötzlich JJ Byrne?«

Er legte den Stift ein wenig zu heftig ab. »Alle in der Schule tragen den Namen ihrer Väter. Warum ich nicht?«

»Weil du ein Liddy bist«, sagte Helen. »Darum.«

Er konnte die Anspannung in ihrer Stimme hören. Sie brauchte ihn nicht daran zu erinnern, wie wichtig ihr der Name war, aber sie tat es trotzdem. »In diesem Haus haben immer Liddys gewohnt. Das weißt du. Du weißt, dass das einer der Gründe ist, warum Ciaran und ich nie geheiratet haben. Damit du und Marian meinen Namen tragen könnt. Du bist und bleibst ein Liddy, JJ.«

JJ zuckte die Schultern. »Ich will einfach Dads Namen tragen, das ist alles.«

Er wusste, dass sie es nicht akzeptiert hatte. Sie würde es auch nicht tun. Aber sie ließ es für den Augenblick gut sein, stellte Toast auf den Tisch und strich Butter darauf, solange er noch heiß war. Es gab noch mehr, was sie über JJ und sein Verhältnis zu den Traditionen der Liddys herausfinden würde, aber er hatte es nicht eilig, noch mehr Aufruhr zu verursachen. Sie würde es noch früh genug erfahren.

Ciaran kam herunter, dicht gefolgt von JJs jüngerer Schwester Marian. Sie waren beide unerträglich munter und gesprächig am frühen Morgen, im Gegensatz zu ihm und seiner Mutter. Sie brauchten jeder mindestens eine Stunde, um sich an den neuen Tag zu gewöhnen. Der fröhliche Gruß von Vater und Tochter stieß nur auf eine muffelige Antwort.

»Und steht heute was an, nach der Schule?«, fragte Ciaran.

»Hurling-Training«, sagte JJ. »Bis halb sieben.«

»Ich hol dich hinterher ab«, sagte Ciaran. »Dann kann ich gleich das Bier besorgen.«

JJ sagte nichts. Das Bier war für das Céilí, das die Liddys seit Generationen an jedem zweiten Samstag im Monat veranstalteten. Helen spielte auf der Concertina für die Tänzer und Phil Daly, ein Gitarrist aus dem Dorf, machte die Begleitung. In den letzten zwei Jahren hatte auch JJ mitgespielt, meistens auf der Geige und manchmal auch auf der Flöte.

»Wir haben uns die Stücke noch gar nicht angeschaut«, sagte Helen. »Ich kann kaum glauben, dass schon wieder Freitag ist. Vielleicht kommen wir ja heute Abend dazu.«

JJ griff nach dem Toast. Er brauchte nichts zu sagen. Sie würden auch an diesem Abend nicht dazu kommen, die Stücke durchzuspielen, weil auch dieser Abend so sein würde wie alle anderen, ein Wettlauf gegen die Zeit, um noch alles zu schaffen, was zu schaffen war.

»Geht die Uhr richtig?«, fragte Ciaran.

Alle drehten sich um und schauten auf die Uhr. Noch zehn Minuten, um zu frühstücken und zum Bus zu gehen. JJ nahm einen Bissen Toast und fing an, seine Schultasche zu packen.

The Cup of Tea
Trad
5
9
13
17
21

6

DIE Zeit reichte nie. Im Sommer gab es immer besonders viel zu tun, weil auf dem Hof zusätzliche Arbeit anfiel. Aber selbst im Winter, wenn die Tage kürzer waren und die Arbeitsabläufe regelmäßiger und leichter zu bewältigen, flogen die Tage, die Stunden, die Wochen nur so dahin. Ciaran war ein Dichter, in Dublin geboren und aufgewachsen. Zwei seiner Gedichtsammlungen hatten angesehene Preise gewonnen. Als er Helen kennen lernte und zu ihr auf den Hof ihrer Familie zog, hatte er ein idyllisches Landleben erwartet. Direkt hinter dem Haus begann die inspirierende Landschaft der Kalksteinhügel, auch unter dem Namen »The Burren« bekannt. Er stellte sich ein geruhsames Leben vor, mit langen Spaziergängen. Er würde sich tage- und wochenlang in seinem Arbeitszimmer vergraben und Gedichtbände schreiben, einer beeindruckender als der andere. Dazu war es nie gekommen. Er besserte sein mageres Einkommen durch Lesungen, Workshops und Besuche in Schulen auf, aber selbst wenn es ihm gelang, sich bestimmte Zeiträume freizuhalten, dann schien er nie etwas zu schaffen. Kürzlich hatte er auf die Frage, was er von Beruf sei, geantwortet: »Ich bin Dichter«, und dann hinzugefügt: »Heißt es jedenfalls. Im Moment bleibt kaum Zeit, einen Gedanken zu Ende zu denken. Und selbst wenn ich einen Gedanken denke, bleibt keine Zeit, ihn in ein Gedicht zu verwandeln. Etwas frisst unsere Zeit.«

Es bedrückte ihn, aber je mehr er versuchte, Zeit für seine Arbeit zu finden, desto schneller lief sie ihm davon.

Es waren nicht nur die Liddys – oder die Liddy-Byrnes, wie manche Leute sie nannten –, die feststellten, dass es nicht genug Zeit gab. Alle hatten dasselbe Problem. Das war vielleicht noch verständlich in den Haushalten, wo beide Elternteile den ganzen Tag bei der Arbeit waren und das Familienleben in ein paar kurze Stunden quetschen mussten. Aber es waren nicht nur die Eltern, die über den Mangel an Zeit klagten. Selbst die Kinder hatten anscheinend nicht genug davon. Die alten Leute meinten, es läge daran, dass sie zu viel zu tun hätten, und vielleicht hatten sie auch wirklich allzu viele Möglichkeiten, die ihnen offen standen. Außer den allgegenwärtigen Fernsehern und Computern wurde selbst in einem kleinen Ort wie Kinvara eine Fülle von außerschulischen Aktivitäten angeboten, von Karate über Basketball bis hin zum Theaterspiel und wieder zurück. Trotzdem hätte aber noch Zeit bleiben sollen, die kleinen Landsträßchen entlangzuschlendern, Brombeeren zu pflücken, auf Sommerwiesen zu liegen und die Wolken über sich vorbeiziehen zu lassen, auf Bäume zu klettern und Höhlen zu bauen. Es hätte Zeit sein sollen, zuzusehen, wie die Regentropfen an einer Scheibe hinunterliefen, Muster in den Wasserflecken an der Decke zu finden und wilde Tagträume zu träumen. Aber so war es nicht. Abgesehen von ein paar ganz Unbeirrbaren, fanden die Kinder kaum noch die Zeit, Unsinn zu machen. Jeder im Dorf, im Landkreis – ja anscheinend im ganzen Land –, litt unter chronischem Zeitmangel.

»So war es noch nie«, sagten die alten Leute.

»Als wir jung waren, war es ganz anders«, meinten die Leute mittleren Alters.

»Soll das der Sinn des Lebens sein?«, fragten sich die Jungen bei den seltenen Gelegenheiten, wenn sie einen Augenblick lang zum Nachdenken kamen.

Eine Zeit lang sprachen alle darüber, immer dann wenn das Thema Wetter abgehakt war. Dann sprachen sie nicht mehr darüber. Wozu auch? Und außerdem, wer hatte schon Zeit, über die Zeit zu reden? Die Leute besuchten sich nicht mehr gegenseitig; jedenfalls nicht zu einem Schwätzchen bei einer Tasse Tee. Alle waren ständig auf dem Weg irgendwohin oder steckten bis zum Hals in irgendetwas oder sie rasten herum auf der Suche nach jemandem oder, noch häufiger, sie rannten einfach sich selbst hinterher.

JJ schaffte es an jenem Morgen gerade noch rechtzeitig, am Ende der Einfahrt zu sein. Der Bus kam zur gleichen Zeit wie immer, fuhr über dieselben Straßen, hielt an denselben Haltestellen wie immer. Aber in der letzten Zeit kam er irgendwie immer zu spät in der Schule an. Der Fahrer fuhr viel zu schnell über die engen Straßen und brachte damit sich selbst und seine Passagiere mehrmals pro Woche in Lebensgefahr. Dabei lag die Schuld nicht alleine bei ihm. Alle fuhren zu schnell. Alle versuchten stets und ständig, verlorene Zeit aufzuholen.

JJ fand einen leeren Sitz und setzte sich. Früher hatte er sich jeden Morgen neben Jimmy Dowling gesetzt, aber das war nun vorbei. Seit jenem Tag vor einer Woche. Jenem schlimmen Tag. Er hatte es seitdem nicht über sich gebracht, den anderen Jungen gegenüberzutreten, und machte nun die Erfahrung, wie es war, zu den Außenseitern zu gehören. Er hätte so gerne seine Mutter nach dem gefragt, was die anderen ihm erzählt hatten, aber er fand nicht den Mut dazu. Es musste irgendein dunkles Geheimnis geben, warum sonst hatte sie noch nie über ihren Großvater gesprochen? Sie hatte ihn schon mal erwähnt. JJ hatte einige Melodien seines Urgroßvaters gelernt und er spielte sie regelmäßig zusammen mit Helen. Aber abgesehen davon, hatte sie ihm nie mehr über den Mann erzählt, nicht einmal, dass JJ nach ihm benannt worden war. In einer Familie wie der ihren war das eigentlich nichts, worüber man schwieg. Es sei denn, es gab einen Grund dafür.

Der Bus bremste scharf und drängte sich eng an die Hecke, um einem Viehtransporter auszuweichen, der ihm entgegenkam. Jimmy Dowling, der aus irgendeinem Grund aufgestanden war, wurde im Gang zwischen den Sitzen nach vorne geschleudert. Er berappelte sich erst neben dem Fahrer, der ihm einen bösen Blick zuwarf und in den Bus nach hinten rief: »Bleibt auf euren Sitzen, hört ihr? Kein Rumgehampel mehr!«

Mit knirschenden Gängen brachte er den alten Bus wieder auf Tempo und bald rasten sie weiter in Richtung Gort. JJ schaute auf die Uhr. Sie waren bereits verspätet. Er hätte schwören können, dass er sah, wie sich der Minutenzeiger bewegte.

Vor JJ waren mehrere Sitze leer, aber Jimmy Dowling ging an allen vorbei und ließ sich schwer in den Sitz neben ihm fallen. War er deswegen aufgestanden? War das ein Versuch, sich wieder mit ihm zu vertragen? Wenn ja, dann war sich JJ nicht so sicher, ob er selbst schon bereit dazu war. Er schaute durch das schlammverkrustete Fenster hinaus.

»Kommst du mit in die Disko?«, fragte Jimmy.

JJ blickte auf nasse Felder und Wiesen voller Vieh. War das ein Scherz? Ein Versuch, noch mehr Ärger zu machen? Er sah zu Jimmy hinüber. Der starrte ausdruckslos auf seine Schultasche hinab. In der Reihe hinter ihnen unterhielten sich zwei Mädchen über Eyeliner. Es war also offenbar keine Falle. Aber Jimmy wusste genau, dass JJ nicht mit in die Disko kam. Der Abend für seine Altersgruppe war der Samstag und samstags spielte JJ zum Tanz auf. Zumindest hatte er das bislang getan. JJ Liddy hatte das getan. Und was, wenn nun JJ Byrne nichts vom Spielen hielt? Was, wenn er stattdessen in die Disko ging?

»Möglich«, sagte er.

Jimmy lächelte. »Alles klar, Mann. Wir fahren um halb zehn los.«

Der Bus kam rutschend vor dem Schultor zum Stehen. Jimmy stand auf und schloss sich der Reihe von Schülern an, die ausstiegen. »Dann treffen wir uns um zwanzig nach am Kai. Einverstanden?«

JJ nickte und schaute wieder auf die Uhr. Zehn Minuten zu spät. Wenigstens waren sie nicht die Einzigen. In der letzten Zeit kamen alle Busse zu spät.

THE RECONCILIATION REEL
Trad

7

In der Polizeikaserne, nicht weit entfernt, musste der neue Polizist eine Standpauke seines Vorgesetzten über sich ergehen lassen. Er hatte es fertig gebracht, sein Notizbuch in die Hosentasche zu stecken und die Hose dann in die Waschmaschine. Der Hose war das bestens bekommen. Dem Notizbuch dagegen weniger. Was da nun auf Sergeant Earlys Schreibtisch lag, war kaum mehr als ein Klumpen Papiermaschee. Gegen Lucy Campbell und all die anderen echten und unechten Einwohner von Kinvara, die nach der Sperrstunde in *Green's Pub* ertappt worden waren, würde kein Bußgeld erhoben werden. Auch nicht gegen Mary Green, und es bestand auch keine Gefahr, dass man ihr die Lizenz entziehen könnte. Garda Treacys Notizbuch war zwar heil. Es hatte in keiner Waschmaschine gesteckt und auch sonst keinerlei Missbrauch über sich ergehen lassen müssen. Aber vor Gericht, sollte es so weit kommen, enthielte es eben nur die Hälfte aller Namen. Larry O'Dwyers erbärmliche Reste von Beweismitteln würden einer Untersuchung nicht standhalten. Der Fall würde mit Schimpf und Schande abgewiesen werden.

»Kein guter Anfang, O'Dwyer«, sagte Sergeant Early.

Larry musste dem zustimmen.

»Über Waschmaschinen hat man euch wohl nichts beigebracht in der Polizeischule, wie?«

»Nein, Sergeant. Das hat man nicht.« In Wahrheit hatte man ihm noch nie etwas über Waschmaschinen beigebracht. Und wenn seine Hauswirtin am Abend zuvor nicht auf ein Gläschen mit ihren Freundinnen ausgegangen wäre, hätte er nicht im Traum daran gedacht, sich mit dem Thema Waschmaschine zu beschäftigen. Und immerhin war es seiner Meinung nach doch schon ein beachtlicher Erfolg, dass er das Ding überhaupt in Gang gekriegt hatte. Aber ein Lob dafür würde er sich woanders suchen müssen.

»Können wir uns darauf verlassen, dass Sie mit einem neuen Notizbuch vorsichtiger umgehen?«

»Das können Sie, Sergeant.«

»Lassen Sie es einfach auf der Wache, wenn Sie abends nach Hause gehen, einverstanden? Wenn es so aussieht, als müsste es mal gewaschen werden, werde ich mich darum kümmern.«

Garda Treacy prustete laut los, aber der Sergeant schaffte es, ein ernstes Gesicht zu bewahren. Larry versuchte, die Regentropfen auf der Scheibe hinter dem Schreibtisch zu zählen. Er musste sein Temperament im Zaum halten. Das war Regel Nummer eins. Es war unvorhersehbar, was für ein Chaos er anrichten könnte, wenn er die Beherrschung verlor. Und das wäre für niemanden gut.

»Und jetzt«, sagte Sergeant Early, »werde ich Sie mit einem neuen Notizbuch ausstatten und dann gehen Sie mit Garda Treacy zur Autowerkstatt von Des Hanlons rauf. Da ist letzte Nacht jemand eingebrochen und hat fast das gesamte Werkzeug geklaut. Sprecht mit ihm und schaut euch ein bisschen um.« Er wandte sich an Garda Treacy. »Sie wissen schon, wo Sie anfangen müssen.«

Treacy nickte und ging nach draußen. Larry nahm das neue Notizbuch und trottete hinter ihm her. Ihr Eigentum war den Leuten wichtig, das wusste er, vor allem wenn sie es brauchten, um ihren Lebensunterhalt zu verdienen. Aber die Suche nach gestohlenen Dingen war nicht, da war sich Larry O'Dwyer ziemlich sicher, der Grund, warum er Polizist geworden war.

The Drunken Landlady
Trad
5
9
13

8

DIE Küche war erfüllt vom Duft von Lammeintopf und frischem Brot, als JJ nach Hause kam. Ciaran blieb draußen im Hof und lud die Bierfässer vom Wagen in die umgebaute Scheune, wo die Tanzabende stattfanden. JJ ließ die Schultasche fallen. Er war gerade dabei, Teewasser aufzusetzen, als Helen aus dem Käsekeller hereinkam, der vom Hauswirtschaftsraum neben der Küche aus zugänglich war.

»Wie war's?«, fragte sie und zog die alberne weiße Mütze vom Kopf, die sie nach den EU-Richtlinien tragen musste, wenn sie Käse machte. »Sollen wir uns die Stücke noch schnell vor dem Abendessen anschauen?«

JJs Gedanken kamen zum Stillstand und ihn überfiel eine große Angst. »Ich bin total k.o.«, sagte er. »Und ich muss mich erst waschen.«

»Dann tu das«, sagte Helen. »Ich mach dir so lange einen Tee. Du wirst nicht lange brauchen, bis du die Stücke ganz draufhast. Die meisten kennst du sowieso schon.«

Das stimmte. JJ hatte schon vor seiner Geburt irische Volksmusik gehört. Er kannte hunderte von Melodien, wenn nicht gar tausende. Während der Tanzstunde in der vergangenen Woche waren Helen ein paar alte Jigs eingefallen, die sie ihm beibringen wollte, und dann hatten sie noch ein paar

Reels gespielt, die er bereits kannte, aber noch etwas üben musste, damit man gut danach tanzen konnte. Wie die meisten jungen Leute, die mit der Tradition aufgewachsen waren, besaß JJ eine erstaunliche Fähigkeit, neue Stücke zu lernen. Seit seinem fünften Lebensjahr machte er Musik, zuerst Tinwhistle, dann Querflöte und jetzt auch noch Fiddle. Seit er neun oder zehn war, hatte er regelmäßig an Workshops mit Topmusikern aus der Gegend teilgenommen. Er konnte also die neuen Stücke in fünf Minuten lernen, und die anderen, die er nur vergessen hatte, würde er sich schnell wieder ins Gedächtnis rufen. Sie mussten sie nur ein paarmal durchspielen. Aber er zögerte jetzt, die Instrumente auszupacken. Wenn er es tat, müsste er seiner Mutter erzählen, dass er morgen nicht spielen würde, und dazu war er nicht bereit. Noch nicht.

»Geh schon«, sagte Helen, »und wasch dich.«

JJ rannte die Treppe hinauf. Jeder freie Platz in seinem Zimmer war übersät mit Medaillen und Pokalen und Plaketten. Wenn er auf dem Dielenboden hüpfte, klapperte der ganze Raum. Im Werkunterricht hatte er ein kleines, offenes Regal gebaut, um alle auszustellen, aber das stand noch immer auf dem Fußboden, an die Kommode gelehnt. Noch eine von diesen kleinen Aufgaben, die auf die lange Bank geschoben wurden und vergeblich auf den Zeitpunkt warteten, an dem er endlich Ruhe und Muße dafür fand.

Er hatte all die Preise über die Jahre angesammelt – für sein Geigen- und Flötenspiel, beim Hurling und beim Tanzen. In seinem letzten Jahr in der Grundschule war er unschlagbar gewesen im Steptanz. Seine Lehrerin glaubte, er könnte sogar irischer Meister werden, aber die weiterführende Schule begrub dann all diese Hoffnungen unter sich. Michael Flatley versetzte zwar mit *Riverdance* das ganze

Land, ja sogar die ganze westliche Welt, in Erstaunen, aber bei JJs Klassenkameraden in Gort konnte er damit nicht landen. Tanzen war uncool und nur Idioten beschäftigten sich mit so was. JJ gab das Tanzen auf. Musik zu machen, war etwas weniger inakzeptabel, wenigstens zu Anfang, und JJ hatte weiter Geige und Flöte gespielt und an Fleadhs teilgenommen und immer mehr Medaillen und Pokale angehäuft. Und er hätte das auch weiterhin getan, wenn nicht der Faktor Zeit gewesen wäre.

Für den vergangenen Sommer hatte er sich mehrere Fleadhs vorgemerkt, aber irgendwie hatten all diese Wettbewerbe ohne JJ stattgefunden; waren alle verstrichen und verloren in der überstürzten Eile ihrer Leben. Und inzwischen blieb nicht einmal mehr Zeit, sich zu fragen, was sie eigentlich zu tun gehabt hatten, das so viel wichtiger war als die Fleadhs.

Seine Geige hing an der Wand. Es war ein schönes Instrument, um das ihn jeder beneidete, der es schon einmal gespielt hatte. Ihr Klang war voll und süß und schwang durch die Melodien, ganz gleich, wie schnell und wild ihr Takt ging. Einen Augenblick lang ließ JJ seine Augen darauf ruhen und genoss den kleinen Hüpfer, den sein Herz jedes Mal vor Vorfreude machte, wenn er spielen wollte. Er war früh angelernt, ja man hätte sogar sagen können getrimmt worden. Er war gut. Sein Spiel hatte ihm viel Lob und Preise eingebracht. Aber die waren nicht für das sanfte Herzklopfen der Vorfreude verantwortlich und auch nicht dafür, dass es ihn in den Fingern juckte, die Saiten und den Bogen zu spüren. JJ spielte, weil er es liebte zu spielen. JJ Liddy jedenfalls. Aber was war mit JJ Byrne?

Helen rief vom Fuß der Treppe aus nach ihm.

»Komme schon!«, rief er zurück.

Die Hälfte der Klamotten, die er besaß, war auf dem Fußboden verstreut, manche dreckig, manche noch fast sauber. Was trugen Jungen überhaupt in der Disko? Er war noch nie in einer gewesen und konnte sich auch nicht erinnern, seine Freunde auf dem Weg dorthin oder auf dem Heimweg gesehen zu haben. Er zog die Jeans-Schublade auf. Seine besten Hosen lagen da drin – die er in die Kirche anzog. Die wären doch bestimmt zu fein, oder? Er wollte schließlich nicht wie ein Idiot dastehen. Was dann?

»JJ?« Das war wieder Helen. »Komm schon, wir haben nicht viel Zeit.«

Er fegte quer durchs Zimmer, klaubte Kleider mit den Händen auf und kickte sie mit den Füßen zu einem Haufen. Als er alles zusammengerafft hatte, hob er das Bündel auf und rannte damit die Treppe hinunter. Es konnte alles in die Waschmaschine. Er würde später entscheiden, was er anziehen sollte.

Helen saß neben dem Holzherd und holte die Concertina aus dem Koffer. Sie machten immer dort in der alten Küche Musik. Früher hatten hier auch die Tanzabende stattgefunden. Das erzählte Helen ihren Besuchern und zeigte ihnen die Stellen, an denen die alten Steinplatten durch Generationen von tanzenden Füßen abgetreten waren. Der Umbau der Scheune war ihre eigene Idee gewesen. Helens Mutter, die damals noch gelebt hatte, war entsetzt von dem Vorhaben, bis sie das Ergebnis sah. Dann hatte selbst sie zugeben müssen, dass es ein schöner Tanzraum geworden war. Wenn sich JJ jetzt in der Küche umsah, konnte er kaum glauben, dass vier Sets genug Platz gehabt hatten, sich darin zu bewegen. Vier Sets, das waren 32 Tänzer, alle gleichzeitig in Aktion. Die Küche war zwar groß, aber so groß dann auch wieder nicht. Doch Helen schwor, dass es so gewesen war. Sie hatte selbst für die Tänzer gespielt, zusammen mit ihrer Mutter.

Während JJ die Wäsche in die Waschmaschine stopfte, hörte er, wie sich die Finger seiner Mutter zaghaft über die Knöpfe der Concertina bewegten, auf der Suche nach den alten Melodien, die sie ihm beibringen wollte. Er schüttelte drei Waschmittelpackungen, bis er eine mit einem Rest darin fand. Das war noch so eine Lange-Bank-Aufgabe – den Hauswirtschaftsraum aufzuräumen. Er stellte das Programm ein, schaltete die Maschine an und rannte nach oben, um die Geige zu holen. Doch als er sie gerade von der Wand nahm, hörte er das Klopfen an der Tür und die Stimme von der kleinen Veranda.

»Hallo?«

Er hätte es ahnen können. So war es immer in der letzten Zeit. Da nahm man sich ein bisschen Zeit für etwas und was passierte? Prompt kam etwas oder jemand dazwischen und nahm sie wieder weg.

Rolling in the Barrel
Trad

9

Die Besucherin war Anne Korff. Ihr brauchte man die ausgetretenen Stellen auf dem Küchenfußboden nicht mehr zu zeigen; sie war schon oft genug in diesem Haus gewesen. Anne lebte schon seit mehr als zwanzig Jahren in der Gegend. Sie leitete einen kleinen Verlag, der Bücher und Karten rund um den Burren herausgab. Sie kannte die Region besser als viele Leute, die schon ihr ganzes Leben dort gelebt hatten, und setzte sich mit Nachdruck dafür ein, dass nichts und niemand das empfindliche Ökosystem des Burren störte.

JJ kam mit der Geige in der Hand nach unten, Bogen und Kolophonium trug er in der anderen. Annes kleiner Terrier Lottie wedelte ihn freundlich an, traute sich aber nicht hinter Annes Beinen hervor. Von seinem Platz neben dem Herd aus betrachtete Bosco die Szene mit heroischer Zurückhaltung.

»Ah, ihr wolltet wohl gerade spielen«, sagte Anne. »Dann störe ich.«

»Überhaupt nicht«, sagte Helen und meinte es ernst. Die Gastfreundschaft von Generationen lag ihr im Blut. Nichts, nicht einmal die Musik, war noch wichtiger. »Wir wollten gerade Tee trinken. Setz dich doch.«

Anne kannte den Zeitdruck besser als die meisten anderen.

»Nein, wirklich nicht«, sagte sie. »Ich kam nur gerade vorbei und dachte, ich schaue kurz rein und nehme ein bisschen Käse mit.«

Helen verkaufte das meiste von ihrem Käse an einen Großhändler, der ihn wiederum an Feinkostläden im ganzen Land vertrieb. Aber es gab ein paar Leute, wie Anne, die gerne selbst vorbeikamen und den Käse direkt kauften.

»Natürlich«, sagte Helen. »Aber dann kannst du auch noch eine Tasse Tee mit uns trinken, wenn du schon hier bist.«

»Nein«, sagte Anne. »Ich würde ja gerne, aber ich bin weit hinter dem Zeitplan zurück mit dem neuen Buch. Ich stecke bis zu den Ohren in der Lektoratsarbeit. Der Tag hat einfach nicht mehr genug Stunden.«

»Wem sagst du das«, meinte Helen müde. »Dann hole ich nur schnell den Käse.« Sie ging Richtung Tür. »Einen kleinen, oder?«

»Und wie ist das Leben so, JJ?«, fragte Anne, als Helen gegangen war.

»Gut«, sagte JJ automatisch. »Und bei dir?«

»Ganz gut«, sagte Anne Korff. »Du bist ja wirklich in die Länge geschossen in der letzten Zeit. Vermutlich gehst du auch schon in die Disko und so weiter, was?«

Ihre Worte trafen JJ wie ein Schlag in die Magengrube. Helen kam bereits mit dem Käse zurück, der in Wachspapier eingeschlagen war. Falls sie Annes Frage gehört hatte, ließ sie es sich keinesfalls anmerken.

»So in Ordnung?«, fragte sie.

»Perfekt«, sagte Anne. Sie wandte sich an JJ. »Du weißt doch, dass deine Mutter den besten Käse im ganzen Land macht?«

»Na ja«, meinte Helen. Sie legte den Käse auf die Anrichte neben der Tür.

Beim Bezahlen sagte Anne: »Ich war gerade spazieren und hab ein bisschen auf eurem Land rumgestöbert. Ich hoffe, du hast nichts dagegen.«

»Warum sollte ich«, sagte Helen. »Du kannst hingehen, wohin du willst, Anne.«

»Das weiß ich natürlich«, sagte Anne. »Aber ich hab mir das alte Ringfort oben auf eurer Wiese angeschaut. Ich wusste gar nicht, dass dort eines ist. Soweit ich weiß, ist es auf keiner Landkarte eingetragen. Und so eine schöne Anlage. So gut erhalten.«

»Das ist es wohl«, sagte Helen.

Der Terrier wurde mutiger und wagte sich hinter Annes Füßen hervor, um die Küche zu erforschen.

»Also, es ist nur…«, sagte Anne. »Wie ich gesehen habe, wurde das Feld dort planiert.«

JJ bemerkte, wie ein Hauch von Argwohn über das Gesicht seiner Mutter huschte. Die Ausläufer des Burren bestanden aus felsigem Gelände, das die Bauern kaum nutzen konnten. In der Vergangenheit waren manche Bereiche von Hand abgeräumt worden, und seit der Einführung von Bulldozern war noch viel mehr mechanisch planiert worden. Das war nun schon seit einigen Jahren verboten gemäß den Gesetzen zum Landschaftsschutz. JJ dachte, ebenso wie seine Mutter, dass Anne vielleicht andeuten wollte, sie hätten das Gesetz gebrochen.

»Das ist schon lange her«, sagte Helen. »Da war ich noch ein Kind.«

»Natürlich«, sagte Anne. »Das sehe ich. Ich fand es nur interessant zu sehen, wie gut sie darauf geachtet haben, die Befestigung zu erhalten. Die Leute damals hatten noch so viel Respekt.«

»Nicht nur damals«, sagte Helen. »Ich kenne keinen Bauern, der an einen Feenring Hand anlegen würde. Sie wissen, dass das Unglück bringt.«

»Das glauben sie immer noch?«, fragte Anne.

»Alle, die ich kenne«, sagte Helen.

Der Terrier schnüffelte um die Anrichte herum und fraß die Brotkrümel vom Boden. JJ merkte, dass Bosco langsam die Geduld ausging.

»Schön, das zu hören«, sagte Anne. »Aber dieser hier ist so gut erhalten. Ich muss ihn einfach auf die Landkarte setzen, wenn ich sie wieder mal überarbeite. Hättet ihr etwas dagegen?«

»Warum denn?«, meinte Helen. Sie hatte nichts dagegen, wenn die Leute auf ihrem Land herumliefen, und Ciaran war sogar ausdrücklich dafür. Er war nämlich der Überzeugung, dass, Grundbuch hin oder her, keiner von sich behaupten konnte, das Land würde ihm gehören.

»Gibt es da auch ein Souterrain, weißt du das?«, wollte Anne wissen.

»Nein«, sagte Helen.

»Was ist ein Souterrain?«, fragte JJ.

»Unterirdische Erdkammern«, sagte Anne. »Die meisten Ringforts hier in der Gegend haben das. Manche haben sogar mehrere Räume mit wunderschönen Steinplatten als Decke. Warst du noch nie in einem drin?« JJ schüttelte den Kopf. Er war nie in einem gewesen, aber er wusste jetzt, was sie meinte. Viele seiner Freunde waren an diesen Orten gewesen. Sie bezeichneten sie als Höhlen.

»Ich kann dir eines zeigen«, sagte Anne Korff. »Komm einfach mal an einem schönen Tag zu mir nach Hause. Es gibt eines ganz in meiner Nähe. Ich zeig's dir.« Sie wandte sich wieder an Helen. »Und was ist mit eurem Ringfort? Hat es da jemals Ausgrabungen gegeben?«

Helen kam nicht mehr zu einer Antwort. JJ hätte verhindern können, was nun geschah, er hatte es schon länger kommen sehen. Aber das Gespräch über das Souterrain hatte ihn abgelenkt und er hatte ein Weilchen nicht aufgepasst. Lottie hatte Boscos Fressnapf entdeckt. Es war nichts darin, aber das hinderte den alten Hund nicht daran, eifersüchtig darüber zu wachen. Es gab eine Explosion von Bellen und Jaulen. Plötzlich schienen überall Hunde zu sein. Alle riefen durcheinander, und bei der ersten Gelegenheit, die sich bot, schnappte Anne den zitternden Terrier und klemmte ihn sich unter den Arm, von wo aus er alle mit Mitleid heischendem Blick ansah.

»Tut mir Leid«, sagte Anne. »Wir lassen euch jetzt wieder in Ruhe.«

»Soll ich dich fahren?«, fragte Helen.

»Nein, nein. Mein Wagen steht unten am Hügel.«

Und damit war sie verschwunden.

Helen setzte sich hin und nahm die Concertina in die Hand. JJ begann, seinen Bogen mit Kolophonium zu bestreichen. Aber noch bevor sie anfangen konnten zu spielen, kam Ciaran herein.

»Was wollte Anne Korff?«, fragte er, fuhr aber, ohne die Antwort abzuwarten, fort: »Der Eintopf müsste jetzt eigentlich fertig sein. Wo ist Marian?«

»Die lernt ihren Text für das Theaterstück«, sagte Helen. »Aber es gibt erst Essen, wenn wir diese Stücke hier einmal durchgespielt haben.«

Ciaran verschwand, um Marian zu holen, und Helens Finger glitten wieder über die Tasten. Sie gab JJ ein A und er stimmte die Geige. Dann suchte sie weiter, und es dauerte nicht lange, bis eine mitreißende kleine Tanzmelodie aus dem Balg des Instruments ertönte. JJ hatte sie noch nie gehört.

»Das ist hübsch«, sagte er, nachdem sie es zweimal durchgespielt hatte. »Wie heißt das Stück?«

»Ich kann mich nicht an den Namen erinnern. Mein Großvater hat es immer gespielt.«

Helens Großvater. Sein Urgroßvater. JJ wurde es wieder kalt. »Auf der Flöte, oder?«, fragte er.

Helen blickte auf. »Woher weißt du das?«

Er gab keine Antwort.

»JJ?« Helen merkte an seinem Gesichtsausdruck, dass etwas nicht stimmte. »Hat dir irgendjemand Geschichten erzählt?«

Ciaran und Marian platzten herein. »Ihr seid überstimmt«, sagte Ciaran. »Zwei gegen zwei. Marian muss zur Theaterprobe. Wir müssen jetzt essen.«

Diesmal konnten weder JJ noch Helen Widerstand leisten.

The Concertina Reel
Trad
5
9
13

10

OKAY«, sagte Ciaran, stellte schwungvoll den Kochtopf auf den Tisch und setzte sich dahinter. »Bevor unsere Münder voll sind und bevor das Telefon klingelt und bevor die Ziegen wieder ausbrechen …«

»Und bevor Anne Korff zurückkommt, um sich ihren Käse abzuholen«, fiel JJ ein.

»Was?«, fragte Helen.

»Und bevor wir anfangen, über Anne Korffs Käse zu reden«, fuhr Ciaran unbeirrt fort, »will ich etwas sagen.«

»Dann beeilst du dich lieber«, sagte Marian, während sie sich Eintopf auf ihren Teller schöpfte.

»Das werde ich«, sagte Ciaran. »Was wünschst du dir zum Geburtstag?«

Marian gab die Kelle an Helen weiter, die sie in den Eintopf tauchte, bevor ihr klar wurde, mit wem Ciaran sprach. »Du meinst doch nicht etwa mich?«

»Doch, genau dich«, sagte Ciaran.

»Ich kann nicht schon wieder Geburtstag haben«, sagte Helen. »Meiner ist doch gerade erst gewesen.«

»Ich weiß, wie es dir vorkommt«, sagte Ciaran. »Es scheint, als wäre dein letzter Geburtstag erst einen Monat her, aber dieser kurze Monat war in Wirklichkeit ein kurzes Jahr. In drei

Wochen, die uns allen wie drei Tage vorkommen werden, hast du wieder Geburtstag.«

»Oh nein«, sagte Helen. »Fünfundvierzig!«

»Sechsundvierzig, um genau zu sein«, sagte Marian, die immer Recht hatte.

»Das kann nicht sein!«, rief Helen.

»Okay, dann eben einundzwanzig«, sagte Ciaran. »Das ist uns egal. Aber was wünschst du dir?«

Helen lehnte sich zurück und ließ die Kelle sinken. JJ nahm sie und füllte zuerst ihren, dann seinen eigenen Teller.

»Ich weiß nicht«, sagte Helen. »Eigentlich wünsche ich mir gar nichts.«

»Gut«, meinte Ciaran. »Das ist ja einfach.«

»Zeit«, sagte Helen. »Das wünsche ich mir. Zeit.«

»Verstehe«, sagte Ciaran nachdenklich. »Und wie wünschen gnädige Frau die Zeit zubereitet? Eine Woche in der Algarve vielleicht? Zwei Wochen in Spiddal?«

Helen schüttelte den Kopf. »Nicht solche Zeit. Ganz normale Alltagszeit. Ein paar Stunden mehr jeden Tag.«

»Viel verlangt«, sagte Marian.

»Unmöglich«, sagte JJ.

»Sag niemals nie«, meinte Ciaran. »Wo ein Wille ist, da ist auch ein was?«

»Normalerweise ein großer Familienstreit«, sagte Marian.

»Es gibt immer einen Weg«, sagte Ciaran. »Alles ist möglich. Das ist dann also dein Geschenk von JJ. Und was wünschst du dir von uns anderen?«

Aber Helen war nicht nach Scherzen zumute. Ihre Gedanken kreisten um das, was JJ zuvor über ihren Großvater gesagt hatte. Es wurde Zeit, dass er etwas über die Familiengeschichte erfuhr.

Ciaran und Helen gingen nach draußen, um die Ziegen in den Stall zu treiben, während JJ und Marian die Küche aufräumten und abspülten. JJ wartete, bis das schlimmste Geklapper vorbei war, und fragte dann so beiläufig wie möglich: »Was tragen eigentlich die Jungs momentan in der Disko?«

Seine Schwester durchschaute ihn sofort. »Disko? Gehst du in die Disko?«

»Nein, ich hab mich das nur gefragt, das ist alles.«

»Gehst du morgen? Hast du eine Freundin?«

»Natürlich hab ich keine Freundin!«

»Aber du gehst in die Disko? Echt? Im Ernst? Weiß Mum das schon?«

Es hatte keinen Zweck zu versuchen, Marian etwas vorzumachen. Ihr entging nichts. Außerdem war es eine große Erleichterung, sich endlich einmal jemandem anvertrauen zu können.

»Noch nicht«, sagte JJ. »Aber sag du ihr nichts, vielleicht gehe ich ja doch nicht.«

»Du musst es ihr sagen. Du kannst sie wegen dem Tanz nicht einfach so sitzen lassen.«

»Warum nicht? Sie braucht mich doch nicht. Sie und Phil haben jahrelang alleine gespielt.«

»Aber das ist jetzt anders. Du gehörst zur Band. Die Hälfte der Stücke, die sie spielen, stammt von dir.«

»Sie braucht mich nicht, Marian. Und überhaupt, wenn du dir solche Sorgen darum machst, warum spielst *du* dann nicht?«

»Weil ich nicht gut genug bin, darum.«

»Bist du wohl. Du bist genauso gut wie ich, als ich angefangen habe.«

Das stimmte. Helen und er versuchten immer wieder, sie zu überreden mitzumachen. Sie hatte schon fast so viele Pokale und Medaillen wie JJ und dabei war sie noch in der Grundschule. Sie tanzte noch immer und würde, das wusste JJ, auch weitermachen, wenn sie auf die weiterführende Schule kam. Marian würde sich nie davon beeinflussen lassen, was andere über sie dachten.

»Und?«, fragte er. »Was tragen Jungs in der Disko?«

Marian zuckte die Schultern. »Weiß ich nicht. Und wenn ich es wüsste, würde ich es dir nicht sagen.«

JJ kam nicht mehr dazu, sie weiterzulöchern. Ciaran stand in der Tür und rief. Marian schaute auf die Uhr, schnappte sich ihren Text und rannte nach draußen.

JJ spülte das restliche Geschirr alleine ab. Seine Geige lag auf der Küchenbank, wo er sie abgelegt hatte. Er widerstand der Versuchung, sie in die Hand zu nehmen, und nachdem er die Küche fertig aufgeräumt hatte, stopfte er seine nassen Kleider in den Trockner und ging nach oben, um sich weiter zu überlegen, was er anziehen sollte.

Seine neuen Turnschuhe wären auf jeden Fall in Ordnung. Es waren keine modischen Markenschuhe – Ciaran ließ keine Ausbeuterware in seinem Haus zu –, aber sie waren cool genug. Das war die eine Entscheidung, aber weiter kam JJ nicht. Er hatte überhaupt kein Gespür für so was. Helen kaufte noch immer alle seine Klamotten. Sollte er Jimmy anrufen und ihn fragen? Würde er sich damit lächerlich machen? Vermutlich. Aber es wäre immer noch besser, als lächerlich auszusehen. Er ging nach unten zum Telefon, doch dort lief ihm Helen über den Weg, die gerade vom Melken hereinkam.

»Bist du beschäftigt?«, fragte sie.

Diesen Worten folgte grundsätzlich eine Bitte um Hilfe bei irgendetwas. JJ suchte nach einer Ausrede, aber er war zu langsam. Außerdem hatte er sich diesmal getäuscht.

»Ich würde gerne mal mit dir sprechen«, sagte Helen. »Über meinen Großvater.«

THE WISE MAID
Trad

11

DER neue Polizist fuhr über die engen Straßen, die das Herz des Burren durchkreuzten. Er war nicht im Dienst und fuhr sehr langsam. Zum einen, weil er noch nicht sehr lange Auto fuhr und sich dabei überhaupt nicht wohl fühlte, zum anderen, weil er etwas suchte. Wonach er genau suchte, war ihm unklar, aber er vermutete oder hoffte zumindest, dass er es erkennen würde, wenn er es sah.

Er fuhr an den Straßenrand, um ein anderes Auto vorbeizulassen. Es brauchte zwar nicht die ganze Breite der Fahrbahn, aber Larry hatte das Gefühl, dass es vermutlich sicherer war, sie ihm zu geben. Da er nun ohnehin schon einen passenden Platz gefunden hatte, an dem er den Wagen ein Weilchen abstellen konnte, beschloss er, auszusteigen und ein wenig die Gegend zu erkunden. Er kletterte über die nächste Mauer und schlenderte über die Felsen, wobei er von einem Block auf den nächsten trat und die tückischen Spalten dazwischen vermied. Beim Gehen überlegte er, ob es wohl angemessen wäre, wenn er am Abend einmal in *Green's Pub* vorbeischauen würde. Wenn er dabei an Sergeant Early und Garda Treacy dachte, war er sich über deren Reaktion ziemlich sicher. Aber er war nicht im Dienst. Soweit er sich erinnern konnte, stand in den Vorschriften nichts, was ihm einen Besuch in den Kneipen am Ort untersagt hätte.

Er wandte sich nach links und kletterte auf eine felsige Anhöhe. Oben angekommen eröffnete sich ihm ein spektakulärer Blick: Ketten grauer Hügel reihten sich hintereinander, bis sie mit dem dunstigen Horizont verschwammen. Im Westen ging eine riesige gelbe Sonne rasch unter. Der Anblick erinnerte ihn an zu Hause und an das flüchtige Ding, das er finden wollte und um dessentwillen er hergekommen war. Es war, als würde man eine Nadel in einem Heuhaufen suchen. Nein. Nadeln in Heuhaufen konnten nicht im Entferntesten die Größe der Aufgabe beschreiben, die vor ihm lag.

Und die Zeit verrann viel zu schnell.

The Stony Steps
Trad

12

JJ war neugierig auf das, was Helen ihm zu sagen hatte, aber zugleich fürchtete er sich davor.

»Komm, wir trinken einen Tee«, sagte Helen.

Tee war für die Liddys Lebenselixier und Tröster, für den sie sich im Verlauf ihrer hektischen Tage so oft wie möglich die Zeit stahlen. Wenn der Holzherd im Winter befeuert wurde, stand der Wasserkessel immer darauf und wartete auf seinen nächsten Einsatz. An jenem Tag war es nicht kalt genug für ein Herdfeuer gewesen, aber das Wohnzimmer neigte immer dazu, feucht zu sein. Während Helen also den elektrischen Wasserkocher füllte und Tee kochte, zündete JJ ein paar Briketts im Kamin an. Dann nahm er, ohne Helen Bescheid zu sagen, den Telefonhörer von der Gabel. Marian wollte nach ihrer Theaterprobe bei einer Freundin übernachten, und Ciaran würde, nachdem er sie abgesetzt hatte, direkt nach Galway zu einem Treffen der Ortsgruppe von Kriegsgegnern fahren. Wenn also kein Besucher ins Haus kam, würde sich JJ und seiner Mutter tatsächlich die seltene Gelegenheit zu einem ruhigen Gespräch bieten.

Das Licht des Tages war fast verschwunden. Während der Tee schon vor den noch schwach züngelnden Flammen bereitstand, zog JJ die Vorhänge vor, und Helen kramte in dem

Wäscheschrank an der Wand neben dem Klavier. Sie kam mit einem großen braunen, zerfledderten Briefumschlag wieder, und während JJ den Tee einschenkte, untersuchte sie seinen Inhalt. Als er ihr die Tasse reichte, gab sie ihm ein zerknittertes Schwarz-Weiß-Foto und zog dann ihren Sessel neben seinen, sodass sie es beide betrachten konnten.

Das Foto zeigte die Vorderansicht des Hauses, das fast die gesamte Bildfläche einnahm; das Haus der Liddys, in dem sie jetzt zusammensaßen. Damals musste es noch ziemlich neu und im Vergleich zum durchschnittlichen irischen Bauernhaus recht großzügig gewesen sein. Die Liddys waren früher, im Gegensatz zu heute, einflussreiche Leute gewesen. Vor dem Haus standen sieben Personen: drei Männer, eine Frau und drei Kinder – ein Mädchen und zwei Jungen. Alle hielten Musikinstrumente in der Hand und alle machten ein ernstes, fast finsteres Gesicht. Nach dem, was JJ sonst an alten Fotografien gesehen hatte, war das nichts Ungewöhnliches.

»Das Bild wurde 1935 aufgenommen«, sagte Helen. »Die Frau mit der Geige war meine Großmutter, deine Urgroßmutter. Dieser Typ hier neben ihr ist Gilbert Clancy.«

»Gilbert Clancy? Lass mal sehen.« JJ hatte schon von Gilbert Clancy gehört. Der hatte den legendären blinden Dudelsackspieler Garret Barry gekannt und später einen großen Teil seines Repertoires an seinen bekannteren Sohn, Willie Clancy, weitergegeben.

»Er war ein enger Freund der Liddys«, sagte Helen. »Er war oft in diesem Haus.«

»War Willie je hier?«

»Viele Male«, sagte Helen. Sie deutete auf einen anderen der Männer auf der Fotografie. »Das ist dein Urgroßvater. Er hat diese Flöte selbst gebaut, aus der Speiche einer Schubkarre.«

»Im Ernst?«

»Heilig geschworen«, sagte Helen.

JJ hielt die Fotografie näher ans Licht und betrachtete das Instrument. Die Aufnahme war scharf, aber die Figuren standen zu weit von der Linse entfernt, als dass man solche Details klar hätte erkennen können. Er sah aber doch, dass die Flöte sehr schlicht war, ohne jede Verzierung. Wenn sie aus mehreren Teilen zusammengesetzt war, dann konnte man die Verbindungen jedenfalls nicht sehen.

»Er war kein bekannter Instrumentenbauer«, fuhr Helen fort, »aber er hat ein paar Flöten und Tinwhistles gebaut. Micho Russel hat mir einmal erzählt, dass er auf einer Tinwhistle gespielt hat, die mein Großvater gebaut hatte, und sie gefiel ihm so gut, dass er versuchte, sie zu kaufen. Aber von allen Instrumenten, die er gebaut hat, war diese Flöte die beste. Er hat sie geliebt. Mochte sie kaum aus der Hand legen. Wo immer er hinging, nahm er diese Flöte mit. Er hatte angeblich solche Angst, sie irgendwo zu verlieren, dass er oben an der Spitze seinen Namen eingeritzt hat.«

»Und was ist aus der Flöte geworden?«, fragte JJ. »Wo ist sie jetzt?«

»Das ist die Geschichte, die ich dir jetzt erzählen will, JJ. Es ist eine traurige Geschichte, aber wenn du sie gehört hast, wirst du vielleicht verstehen, warum mir die Musik immer so wichtig war. Die Musik und der Name der Liddys.«

Helen füllte ihre Tassen auf und lehnte sich in ihrem Sessel zurück. »In diesem Haus wurden immer schon Tanzabende veranstaltet, solange man denken kann. Seit es Musik gibt, waren die Liddys Musiker. Man könnte glauben, dass das alles ganz einfach war, von heute aus betrachtet. Ein harmloser Zeitvertreib. Nicht nur harmlos, sondern sogar gesund. Aber damals hatte die Tanzmusik ihre Feinde.«

»Was für Feinde?«, fragte JJ.

»Mächtige Feinde«, sagte Helen. »Die Kirche.«

»Was – die Priester?«

»Ja, genau, die Priester. Und über den Priestern die Bischöfe und über den Bischöfen die Kardinäle.«

»Aber warum denn?«

»Das ist keine einfache Frage. Es gibt eine offensichtliche Antwort, und die ist, dass sich zum Tanz die jungen Leute aus der ganzen Gemeinde – manchmal sogar darüber hinaus – versammelten. Die Tanzveranstaltungen waren große gesellschaftliche Ereignisse. Männer und Frauen kamen zusammen und lernten sich kennen. Ungefähr so wie heute in den Klubs und Diskos, nehme ich an. Alle haben ein bisschen was getrunken und sich ein wenig gehen lassen. Die Kirche behauptete, dass die Tanzerei zu unmoralischem Verhalten führte.«

»Das sagen die Leute doch immer noch«, sagte JJ, »ich meine, über die Diskos und Klubs.« Er ahnte die günstige Gelegenheit. Wäre jetzt ein guter Moment, es ihr zu sagen?

»Das stimmt«, sagte Helen. »Und ich vermute, dass sie Recht haben, mit ihren Maßstäben gemessen. An diesen Orten gehen schon Dinge vor, die Eltern Anlass zur Sorge geben können.«

Die günstige Gelegenheit war vorbei. Helen streckte den Arm aus und ließ noch ein Brikett ins Feuer fallen, sodass die Funken aufstoben.

»Aber es gab noch einen anderen, weniger offensichtlichen Grund, warum die Priester, oder zumindest einige von ihnen, unsere Musik so hassten. Wir Iren sind seit hunderten von Jahren katholisch – die Mehrheit jedenfalls. Vereinfacht ausgedrückt könnte man sagen, dass die Priester völlige Kontrolle über unser Leben und unseren Glauben hatten. Aber in Wahrheit war es nicht so einfach.«

»Das ist es nie«, sagte JJ.

»Das ist es nie«, wiederholte Helen. »In Irland gab es noch andere, viel ältere Glaubensformen, die hier lange vor der christlichen Kirche ihre Wurzeln hatten. Seit tausenden, nicht nur hunderten von Jahren. Und in manchen Kleinigkeiten sind sie bis heute vorhanden.«

»Woran denkst du da?«, fragte JJ.

»Das Feenvolk«, sagte Helen, »und all die Geschichten und der Aberglaube um sie.«

»Aber das gibt es doch nicht mehr«, sagte JJ. »Keiner glaubt heute noch an diese Sachen.«

Helen zuckte die Schultern. »Kann sein. Aber weißt du noch, wovon Anne Korff heute gesprochen hat? Von den Ringforts und dass die Bauern sie nicht einfach von ihrem Land entfernen?«

»Aber das sind doch historische Denkmäler, oder nicht?«

»Vielleicht heutzutage nicht mehr«, sagte Helen. »Aber ich bin mir nicht sicher. Das Ringfort auf unserer Wiese oben ist nirgendwo registriert. Es steht also nicht unter Denkmalschutz. Aber würdest du es planieren, wenn du eines Tages den Hof übernimmst?«

JJ dachte darüber nach und kam zu dem Schluss, dass er das nicht tun würde. Er stellte fest, dass er tief drinnen, an einer Stelle, die er noch nie erreicht hatte, was das Ringfort anbetraf, ebenso abergläubisch war wie seine Mutter – und wiederum ihre Mutter und ihre Großeltern gewesen waren. Er schüttelte den Kopf.

»Nein«, sagte Helen. »Und dabei glaubst du noch nicht einmal an Feen. Meine Mutter hat an sie geglaubt. Und zu Zeiten meiner Großeltern haben alle daran geglaubt. Die Leute haben noch Feen gesehen oder meinten sie zu sehen. Und viele Menschen behaupteten, sie hätten ihre Musik gehört.«

»Aber das ist doch verrücktes Zeug«, meinte JJ.

»Vielleicht«, sagte Helen. »Vielleicht auch nicht. Auf jeden Fall waren die Priester deiner Meinung. Ihrer Ansicht nach war es mehr als verrückt. Es war gefährlich und umstürzlerisch. Aber es gelang ihnen nicht, den Leuten die alten Vorstellungen auszutreiben, ganz gleich wie sehr sie es auch versuchten oder mit welchem Höllenfeuer sie ihnen drohten. Die Feen und die Landbevölkerung, das hatte einfach eine zu lange Geschichte. Und in einem waren sich alle einig, ob sie es nun selbst gehört hatten oder nicht, dass wir nämlich unsere Musik – die Jigs und Reels und Hornpipes und auch die langsamen Weisen – von den Feen bekommen haben.«

Ein kleiner kalter Schauer lief JJ langsam den Rücken hinunter. Es war nicht das erste Mal, dass er von dieser alten Verbindung hörte, aber zum ersten Mal berührte ihn die Geschichte.

»Die Priester waren also nicht in der Lage, den alten Feenglauben auszurotten«, fuhr Helen fort. »Sie hatten es lange genug probiert und waren daran gescheitert. Aber eines konnten sie möglicherweise beseitigen und das war die Musik. Wenn ihnen das gelang, so hofften sie, würde der restliche Aberglaube vielleicht ganz von alleine folgen. Aber nicht alle dachten so. Es gab durchaus Priester, die den alten Traditionen tolerant gegenüberstanden. Ein paar spielten sogar selbst das eine oder andere Stückchen. Doch andere sprengten alle musikalischen Zusammenkünfte und Tanzveranstaltungen, wo immer sie konnten, und taten ihr Möglichstes, um die Musik auszulöschen. Und dann, im Jahr 1935, als dieses Foto hier aufgenommen wurde, bekamen sie eine neue, mächtige Waffe an die Hand. Das war der so genannte ›Public Dance Hall Act‹, eine Verordnung zu öffentlichen Tanzveranstaltungen.«

JJ verlor langsam das Interesse. Er hatte doch in der Schule schon mehr als genug Geschichte. »Was hat das alles mit deinem Großvater zu tun?«, fragte er.

»Kommt gleich«, sagte Helen. »Im Grunde waren die meisten Tanzabende bis dahin wie unsere Céilís gewesen. Sie wurden bei Leuten zu Hause oder manchmal im Sommer auch auf Straßenkreuzungen abgehalten. Die Leute bezahlten Eintritt, um die Unkosten für die Getränke und die Musiker zu decken. Vielleicht sprang manchmal sogar ein kleiner Gewinn für den Hausbesitzer heraus, obwohl das nie der Grund war, warum wir solche Veranstaltungen bei uns hatten. Aber nach der neuen Verordnung, die die Regierung auf Druck der Kirche erlassen hatte, waren diese privaten Tanzabende nun illegal. Von da an mussten alle Tanzveranstaltungen im Gemeindesaal stattfinden, wo der Priester die Geschehnisse im Auge behalten konnte. Und fast hätte es funktioniert. Denn es dauerte nicht lange, bis andere Musik in Mode kam. Fast hätten wir unsere musikalische Tradition verloren.«

»Aber die Leute konnten doch noch immer spielen, oder? Im Pub oder zu Hause?«

»Das konnten sie, aber solche Sessions sind eine ziemlich neue Sache, weißt du – wenn die einen spielen und die anderen herumsitzen und reden. Ich selbst mag es nicht. Diese Musik ist Tanzmusik, JJ. Das ist sie immer gewesen. Darum habe ich dafür gesorgt, dass du und Marian tanzen gelernt habt. Selbst wenn du es nie wieder tust, hast du auf diese Weise doch die Musik vollständig begriffen.«

JJ nickte. Er war bei vielen Fleadhs gewesen und hatte viele Leute spielen gehört. Meistens konnte man an ihrem Spiel erkennen, ob sie selbst tanzen konnten oder nicht.

»Und der langen Rede kurzer Sinn«, fuhr Helen fort, »war, dass die Tanzabende auszusterben drohten. Man konnte einen Tanz veranstalten, wenn man keinen Eintritt verlangte, aber damals gab es nicht sehr viele Leute, die sich das leisten konnten.«

»Aber die Liddys konnten es«, sagte JJ.

»Genau. Die Liddys konnten es. Wir waren nach heutigen Maßstäben nicht reich, aber für damalige Verhältnisse ging es uns ziemlich gut. Und wir hatten einen großen Vorteil gegenüber vielen anderen Häusern, in denen sonst Tanzabende abgehalten wurden. Wir mussten die Musiker nicht bezahlen. Wir waren selbst die Musiker.«

GARRETT BARRY'S JIG
Trad
5
1
2
10
14
1
2

13

DER neue Polizist ging nach Kinvara hinein, aß eine Kleinigkeit bei *Rosaleen's* und marschierte dann die Straße hinunter zu *Green's Pub*. Er war noch früh dran, das wusste er. Die Sessions kamen meistens erst so gegen zehn richtig in Gang. Er hatte lange und gründlich drüber nachgedacht, ob es besser wäre, früh oder spät einzutreffen, und hatte sich schließlich für früh entschieden. Wenn er ankam, wenn die Session bereits angefangen hatte, bestand die Gefahr, dass der Schreck darüber, dass ein Polizist mitspielen wollte, der Musik den Schwung nehmen würde. Wenn er schon früh da war, konnte Mary Green sich an die Vorstellung gewöhnen, und mit ein wenig Glück würde es ihm gelingen, die anderen Musiker davon zu überzeugen, dass er nicht in offizieller Funktion dort war.

Er blieb mit der Geige in der Hand in der Tür stehen. Vielleicht war es doch nicht so eine gute Idee gewesen? Seine Gegenwart würde die anderen mit Sicherheit beeinträchtigen und Mary Green würde vermutlich alle um Punkt zwölf auf die Straße setzen. Er würde allen den Spaß verderben. Vielleicht wäre es am besten, wenn er einfach nach Hause ginge und dort ein wenig mit den anderen spielte, ohne sich von Sperrstunden tyrannisieren zu lassen.

Nein. Es war besser, wenn er blieb. Er hatte sich schließlich vorgenommen, etwas herauszufinden. Überall konnte es Hinweise geben. Man wusste nie, was man vielleicht hörte.

In *Green's Pub* wurde ihm ein eisiger Empfang bereitet. Mary war eine großzügige Frau, aber es überstieg sogar ihre ausgeprägte Gastlichkeit, einen Mann willkommen zu heißen, der erst am Abend zuvor eine Razzia in ihrem Lokal durchgeführt hatte. Ein Teil der Gäste war auch an diesem Abend da, und es dauerte nicht lange, bis sie den anderen, die ihn noch nicht kannten, Larrys Identität erklärt hatte. Einer der Musiker wandte sich ab, sobald er den Polizisten entdeckte, und ging, um weiter oben in der Straße, im *Winkles*, zu spielen. Die anderen standen um die Bar herum und ereiferten sich über die Kulturpolitik, was noch den ganzen Abend hätte dauern können, wenn nicht ein Dudelsackspieler aus Kinvara eingegriffen hätte. Er trank nicht und konnte es nicht leiden, einfach so herumzustehen. Er war wegen der Musik gekommen, nicht wegen der Politik, und er ging sowieso immer schon vor der Sperrstunde.

»Ich würde sagen, wir spielen mal ein bisschen«, sagte er zu Larry.

»Ich würde sagen, das tun wir«, sagte Larry.

Und nach wenigen Stücken stand keiner der Musiker mehr herum. Ganz gleich, was für einen Beruf er hatte, Larrys Fiddlespiel ließ wenig zu wünschen übrig. Keiner der Anwesenden hatte je etwas ähnlich Gutes gehört. Innerhalb weniger Minuten hatten alle ihre Instrumente gestimmt und spielten mit.

Mary Green brachte neue Getränke. Larry spürte, wie die Musik sein Blut in Wallung brachte und seine Gegenwart mit seiner Vergangenheit verband und ihn nach Hause führte. Zum ersten Mal seit seiner Ankunft in Kinvara war der neue Polizist glücklich.

The Teetotaller
Trad
4
7
10
13
16

14

UNSERE Gemeinde hier hatte kein Glück«, sagte Helen. »Father Doherty war, soweit ich weiß, in vieler Hinsicht ein guter Pfarrer, aber was die Musik anbetraf, war er einer der schlimmsten. Kaum ein Sonntag verging, ohne dass er von der Kanzel herab wetterte, welch schreckliche Rache Gott an jenen nehmen würde, die an Feen glaubten und zu ihrer bösen Musik tanzten. Noch bevor jene Verordnung in Kraft trat, ging er des Nachts durch die Straßen und platzte in alle Häuser, aus denen er Musik hörte, und stellte jeden zur Rede, den er dort vorfand. Einmal zertrat er sogar die Geige eines Mannes mit seinem Stiefel. Aber unter all seinen Gemeindemitgliedern gab es keinen, der ihn derart reizte wie mein Großvater. Der Hass war gegenseitig. JJ ...« Helen hielt kurz inne. »Hab ich dir schon erzählt, dass er JJ hieß? Dass du nach ihm benannt wurdest?«

»Nein, hast du nicht«, sagte JJ. »Aber jemand anders hat es getan.«

»Wer?«

»Egal. Erzähl weiter.«

Helen zögerte und überlegte, ob sie weiter nachbohren sollte, entschied sich dann aber dagegen. »Er hat einfach die Tür vor Father Doherty verrammelt und weitergespielt, während der draußen gegen die Tür schlug und schrie. Dann erschien er sonntags in der Kirche und hörte sich all diese Tiraden an, als gingen sie ihn überhaupt nichts an. Father Doherty konnte das nicht ertragen. Er war es gewohnt, dass man ihm gehorchte. Sobald der Dance Hall Act erlassen worden war, zeigte er die Liddys an, weil sie einen Tanzabend zu Hause veranstaltet hatten. Und die Liddys waren nicht die Einzigen. In jenem Jahr gab es eine ganze Reihe von Strafverfahren und viele davon waren erfolgreich. Den Leuten wurden Bußgelder auferlegt, die sie niemals bezahlen konnten. Die Verordnung tat ihre Wirkung. Nur nicht bei den Liddys. Später haben die Leute meinem Großvater erzählt, dass Father Doherty ihnen mit ewiger Verdammnis gedroht hatte, wenn sie nicht vor Gericht aussagten und schworen, dass sie an der Tür ein Eintrittsgeld für den Tanz bezahlt hätten. Aber bei aller Angst vor dem Pfarrer und der Macht, die er vertrat, gab es keinen Einzigen, der die Liddys verraten hätte. So hoch war damals das Ansehen der Familie in der Gemeinde.«

Helen schwieg einen Augenblick und JJ bemerkte einen Ausdruck von wildem Stolz in ihren Augen. Doch dann verschwand er und sie richtete ihren Blick auf die Flammen. »Aber das war vorher.«

JJ wartete. Helen holte tief Luft. »Die Anklage wurde abgewiesen. Meine Großeltern veranstalteten zur Feier einen Tanzabend. Es war Hochsommer und die Nächte waren lang und warm. Die Tänzer drängten aus dem Haus heraus in den Hof und nach einer Weile folgten ihnen auch die Musiker. Alle erzählen, dass die Stimmung sagenhaft war. Nie zuvor hatte es einen vergleichbaren Tanz gegeben. Bis Father Doherty auftauchte. Er war so wütend, dass nicht einmal mein Großvater weiterspielen konnte. Er war rot im Gesicht und zitterte vor Wut.

›Ihr glaubt wohl, ich würde mich jetzt geschlagen geben, was?‹, schrie er.

Father Doherty war kein junger Mann mehr. Meine Großmutter machte sich Sorgen um ihn. Trotz allem, was passiert war, wollte sie nicht, dass er vor ihrem Haus oder sonst irgendwo einen Herzinfarkt bekam. Sie lud ihn ein, ins Haus zu kommen und eine Tasse Tee zu trinken.

›Ich werde nie wieder auch nur einen Fuß in dieses gottlose Haus setzen‹, sagte er zu ihr. ›Und ich sage euch noch etwas. Ich werde dieser Teufelsmusik ein Ende bereiten.‹

Er schnappte meinem Großvater die Flöte aus der Hand und marschierte vom Hof. Mein Großvater rannte hinter ihm her, aber er war – das musst du mir glauben, JJ – ein sanfter Mann. Er liebte diese Flöte mehr als alles andere, was er besaß, aber er hätte nie Gewalt angewendet, um sie zurückzubekommen. Father Doherty ging in jener Nacht vor siebzig Jahren mitsamt der Flöte von diesem Haus weg und niemand hat ihn seither gesehen.«

»Was?«, sagte JJ.

»Er verschwand. Er wurde nie wieder gesehen.«

»Aber… Willst du damit sagen, dass man auch keine Leiche gefunden hat?«

Helen schüttelte den Kopf. »Nichts. Bis heute weiß niemand, was mit ihm passiert ist. Aber du weißt ja, wie die Leute sind… Es kam unglücklicherweise ein übles Gerücht auf.«

»Dass dein Großvater ihn umgebracht hat.«

Helen nickte.

»Und hat er das?«, fragte JJ.

»Natürlich nicht.«

»Woher weißt du das?«

»Ich weiß es einfach. Er hätte das nicht gekonnt. Er hasste die Obrigkeit, aber er war kein Mörder.«

»Und was ist mit der Flöte passiert?«

»Ebenfalls verschwunden. Sie wurde nie wieder gesehen.«

»Das ist seltsam«, sagte JJ. »Wie konnte jemand einfach so verschwinden?«

»Ich weiß auch nicht mehr als du«, sagte Helen. »Aber so etwas passiert manchmal. Leute verschwinden einfach. Sie haben alles nach ihm durchkämmt, aber nie auch nur eine Spur gefunden.«

JJ wandte sich mit erneutem Interesse der Fotografie zu. Sein Urgroßvater war ein kräftiger Mann gewesen, aber JJ konnte in seinem Gesicht nichts erkennen, was vermuten ließ, er wäre zu einem solchen Gewaltverbrechen fähig.

»Die Gemeinde war gespalten«, fuhr Helen fort. »Viele Leute wandten sich gegen die Liddys, aber der Großteil hielt uns die Treue. Dennoch wurde noch lange nach jener Mittsommernacht kein Ton mehr in diesem Hause gespielt. Mehr als einen Monat später tauchte Gilbert Clancy auf dem Hof auf. Er war fort gewesen, als Father Doherty verschwand, und hatte gerade erst davon erfahren. Er ließ sich die ganze Geschichte von meinem Großvater erzählen. Als er fertig war, sagte Gilbert: ›Na ja. Immerhin hat der Pfarrer jetzt sein Ziel erreicht, oder?‹

Mein Großvater fragte, was er damit meinte. Er hat mir die Geschichte viele Male erzählt, als ich noch ein Kind war, und was Gilbert zu ihm gesagt hat. ›Der Mann hat Stille in eines der musikalischsten Häuser gebracht, die es je gegeben hat. Er hat dir mehr als nur deine Flöte genommen, JJ.‹

Mein Großvater saß da und dachte lange, lange darüber nach. Dann stand er auf und ging in den Raum nach hinten, der ihm als Werkstatt diente. Bis er wieder zurückkam, hatte Gilbert Clancy bereits seine Flöte aufgewärmt, und die Geige meiner Großmutter war von ihrem Haken an der Wand genommen und abgestaubt worden. Und von jenem Tag bis heute hat es in diesem Haus immer Musik gegeben, JJ.«

THE PRIEST AND HIS
BOOTS
Trad
6
10
15

15

Es gab nur einen einzigen Wermutstropfen an diesem ganzen wunderbaren Abend voller Musik. Sie hatten ungefähr eine halbe Stunde gespielt, als ein alter Mann den Pub betrat und sich auf einen hohen Hocker an der Bar setzte. Er kam Larry irgendwie bekannt vor, aber das Alter stellte seltsame Dinge mit den Gesichtern von Leuten an, und da Larry sich manchmal kaum an seinen eigenen Namen erinnern konnte, war es unwahrscheinlich, dass er sich an den eines anderen erinnerte.

Der Dudelsackspieler eröffnete eine Folge von Hornpipes, und Larry vergaß alles außer der Musik, aber als er das nächste Mal hochschaute, war der alte Mann noch immer da und starrte ihn unverwandt an. Nach der nächsten Folge von Stücken stand er von seinem Barhocker auf und tappte quer durch die Gaststube, dorthin wo die Musiker saßen. Er lehnte den niedrigen Hocker ab, den ihm einer der nächsten Zuhörer anbot. Er gab sich erst zufrieden, als er sich bis zu der gepolsterten Eckbank gedrängelt und sich neben Larry O'Dwyer gequetscht hatte.

»Und, wie geht's?«, sagte er.

»Bestens«, sagte Larry. »Und selbst?«

»Ebenfalls sehr gut«, sagte der alte Mann. Er zog eine abgenutzte Tinwhistle aus der Tasche, wartete höflich, bis jemand eine Melodie anstimmte, und spielte dann mit. Weitere Stücke folgten, und der alte Mann sagte nichts mehr zu Larry und auch zu keinem anderen, bis der frühe Aufbruch des Dudelsackspielers die Gesellschaft kurzfristig durcheinander brachte. Während alle anderen abgelenkt waren, beugte er sich zu Larry hinüber und sagte: »Unter welchem Namen bist du hier in der Gegend bekannt?«

Nach einigen panischen Augenblicken fiel es Larry wieder ein. »O'Dwyer«, sagte er in einem unnötig verschwörerischen Flüstern. »Larry O'Dwyer.«

Der alte Mann streckte eine breite Pranke aus und ergriff Larrys Hand. »Patrick O'Hare«, sagte er. »Selbst nach all den Jahren. Immer noch Patrick O'Hare.«

»Aber natürlich«, sagte Larry, der sich noch immer nicht an den Mann erinnern konnte. »Warum denn auch nicht?«

Aber Patrick O'Hare hatte bereits seine Hand zurückgezogen und setzte zu einem hübschen alten Reel auf der Tinwhistle an. Einer nach dem anderen stimmten die anderen Musikanten ein.

JJ Byrne hatte kein besonders langes Leben gehabt. JJ war wieder ganz Liddy, nach allem, was ihm seine Mutter erzählt hatte, und er brannte darauf, seine Stücke zu spielen und das alte Haus wieder mit Musik zu füllen.

»Du bewegst dich nicht von der Stelle, hörst du?«, sagte er. »Ganz egal was alles erledigt werden muss. Dies ist die erste Rate deines Geburtstagsgeschenks.«

Sie folgte seinen Anweisungen und blieb, wo sie war, während er mehr Tee machte und die Instrumente holte. Er brachte auch seine Flöte mit, obwohl er in der letzten Zeit kaum noch darauf gespielt hatte. Sie gab ihm ein Gefühl der Nähe zu seinem verleumdeten Namensgeber.

JJ lernte den Jig seines Großvaters darauf und das andere Stück, das Helen ihm noch beibringen wollte, dann stieg er auf die Geige um, und sie spielten einen Teil der Stücke durch, die sie am folgenden Abend zum Besten geben wollten. JJ verschwendete keinen Gedanken mehr an die Frage, ob er am nächsten Abend in die Disko gehen sollte. Irgendwann einmal, vielleicht, aber nicht morgen.

Wie üblich verging die Zeit wie im Fluge, aber sie spielten einfach immer weiter und genossen es, zusammen zu sein und ein paar ihrer Lieblingsstücke aufzufrischen. Als sie schließlich zum Ende kamen, weil sie zu müde zum Weiterspielen waren, nahm JJ das Foto noch einmal in die Hand.

»Wer sind die Kinder?«

Helen schaute über seine Schulter. »Das da mit der Concertina ist meine Mutter und das sind ihre zwei Brüder. Sie sind beide jung gestorben, deswegen hat sie ja auch den Hof geerbt. Sie war die Einzige, die überlebt hat. Das waren harte Zeiten.«

Auf dem abgegriffenen Umschlag lagen noch mehr Fotos mit dem Bild nach unten. Helen griff nach JJs Hand, um ihn zu stoppen, aber er war schneller. Er versicherte sich mit einem Blick in ihre Augen, dass es in Ordnung war, und begriff, dass er noch lange nicht das letzte der Liddy-Geheimnisse erfahren hatte. Er drehte die Fotos herum, alles andere als sicher, dass er für weitere Überraschungen gerüstet war. Aber das erste Bild schien ziemlich unverfänglich. Eine Frau stand vorne neben einem grauen Esel. Im Karren dahinter saß ein barfüßiges Kind, ein Mädchen.

»Meine Mutter und meine Großmutter«, sagte Helen.

Das nächste Foto war förmlicher: eine Studioaufnahme von einem jungen Paar, er stehend mit der Mütze in beiden Händen, sie sitzend auf einem Stuhl mit gerader Lehne. Beide starrten steif in die Kamera.

»Wieder meine Großeltern«, sagte Helen. »JJ und Helen.«

JJ grinste wegen der Übereinstimmung und drehte das letzte Bild um. Es war auf einer Heuwiese mitten im Sommer aufgenommen worden. Links war ein ordentlicher, frischer Heuhaufen. Weitere standen über das dahinter liegende Feld verteilt. Auf der rechten Seite waren zwei Musikanten. Eine junge Frau mit einer Concertina, die auf einem leeren Heuwagen saß, und hinter ihr stehend ein junger Mann mit einer Geige in der Hand. Ihr Gesicht war entweder erhitzt oder von der Sonne verbrannt und trug ein strahlendes Lächeln. Aber das Gesicht des Geigers war von der Kamera abgewandt und verriet nichts außer dem eleganten Schwung seiner Stirn und Wangenknochen unter einer Fülle von rotblondem Haar.

»Meine Mutter«, sagte Helen. »Sie konnte fantastisch spielen.«

»Und wer ist der Mann?«

Helen zögerte. In der Stille fielen die rot glühenden Briketts in sich zusammen und loderten noch einmal hell auf.

»Mein Vater«, sagte Helen schließlich, und JJ stellte fest, dass er es schon geahnt hatte. Er lehnte sich in seinem Stuhl zurück, das Foto in der einen Hand, die Geige in der anderen.

»Das ist das einzige Foto, das jemals von ihm gemacht wurde«, fuhr Helen fort. »Meine Mutter hat nie von ihm gesprochen. Jedenfalls nicht, bevor sie im Sterben lag, und dann … na ja … hat sie auch wirr geredet. Ihr Verstand, du weißt schon …« Sie riss sich aus Erinnerungen, die offenbar aufwühlend waren. »Jedenfalls gab sie mir dieses Foto erst, als ich mit dir schwanger war. Sie liebte ihn auch damals noch immer wahnsinnig.«

»Wer war er?«, fragte JJ.

Seine Mutter lächelte und zuckte die Schultern. »Ein ziemlich wilder Typ, soweit ich es herausfinden konnte. Ein reisender Musikant. Ein oder zwei Jahre lang kam und ging er immer wieder. ›Der Bursch‹ nannten sie ihn. Falls er noch einen anderen Namen hatte, hat meine Mutter ihn nie gehört. Einfach nur ›der Bursch‹. Aber er war ein toller Fiddler. Der beste, den meine Großeltern je gehört hatten. Und so gut aussehend, dass er die Vögel in den Bäumen bezauberte.«

Sie nahm JJ das Foto aus der Hand und betrachtete es wehmütig. »Ich wünschte, er hätte sich nicht in genau jenem Moment abgewandt«, sagte sie. »Ich träume manchmal von ihm, weißt du? Ich würde alles dafür geben zu wissen, wie er aussah.«

»Was ist mit ihm passiert?«

Helen zuckte die Schultern. »Er kam und ging eine Weile. Er und meine Mutter fanden Gefallen aneinander und wurden schließlich ein Liebespaar. Dann ging er eines Tages fort und kam nie mehr wieder.«

»Noch einer, der sich in Luft auflöste«, sagte JJ.

»Ja. Aber das war nicht so ungewöhnlich. Als der Pfarrer – das war natürlich ein anderer – herausbekam, dass meine Mutter schwanger war, versuchte er, ihre Eltern zu überreden, sie fortzuschicken und das Baby zur Adoption freizugeben. Ledige Mütter waren damals verpönt.«

JJ nickte. Über die Arbeitshäuser der Kirche, die so genannten *Magdalene Laundries*, war in der letzten Zeit viel berichtet worden. Viele unschuldige Mädchen hatte man dort eingesperrt, um sie vor der Gesellschaft zu verstecken.

»Meine Großeltern wollten, Gott sei Dank, nichts davon hören«, sagte Helen. »Es gab also einen weiteren Grund, warum einige Leute hier in der Gegend den Liddys aus dem Weg gingen. Eine ledige Mutter in der Familie.«

»Mittlerweile sind es schon zwei«, sagte JJ.

Helen lachte. »Allerdings waren alle überzeugt, dass der

Bursche zurückkommen würde. Als er das letzte Mal fortgegangen war, hatte er etwas im Haus zurückgelassen. Es war sein einziger Besitz, und sie konnten nicht glauben, dass er es sich nicht wiederholen würde.«

»Und was war es?«, fragte JJ.

»Seine Geige«, sagte Helen. »Du hältst sie selbst in der Hand.«

The Fair-Haired Boy
Trad
5
9
13

16

MARY Green war, soweit sie sich erinnern konnte, noch nie in die Verlegenheit gekommen, einen Polizisten aus ihrem Pub schmeißen zu müssen. Dennoch fühlte sie sich dazu verpflichtet. Larry sah nicht so aus, als würde er im nächsten Moment aufspringen und alle verhaften, aber man konnte nie sicher sein.

Sie wartete auf eine Pause in der Musik. »Ich muss euch jetzt bitten, zum Ende zu kommen«, sagte sie.

Phil Daly hörte auf, seine Gitarre zu stimmen, und schaute hoch. »Du machst Witze«, sagte er. »Es kann doch nicht schon so spät sein?«

Alle wandten den Blick auf die Uhr hinter der Bar. Sie war neu, mit Zeigern, die so angelegt waren, dass der Betrachter glauben musste, er sähe alles doppelt. Das bedeutete, dass alle ein Weilchen brauchten, um zu erkennen, wie viel Uhr es tatsächlich war.

»Ich weiß nicht, was in letzter Zeit mit der Zeit los ist«, sagte Laura, die Flötenspielerin.

»Es ist verrückt«, sagte Jim, ließ die Luft aus seinem Melodeon und schnallte den Riegel fest.

»Du hast Recht, es ist verrückt«, sagte Larry. »So war es noch nie.«

»Das kann man wohl sagen«, meinte Patrick O'Hare.

»Womit hat das eigentlich angefangen?«, fragte Larry. »Seit wann schwindet die Zeit so schnell dahin?«

»Das ist nur, weil wir älter werden«, meinte Laura.

»Nein«, sagte Phil. »Selbst die Kinder rennen heutzutage wie kopflose Hühner herum.«

»Es war die EU, mit der hat alles angefangen«, meinte Patrick. »Wir hatten alle Zeit der Welt, bevor wir Europa beigetreten sind und diese ganzen Subventionen gekriegt haben.«

»Was haben denn die Subventionen damit zu tun?«, fragte Laura.

»All diese Zeit sparenden Einrichtungen, die wir mit dem neuen Geld gekauft haben«, sagte Patrick. »Große, schnelle Traktoren und Ballenpressen und Waschmaschinen. Und haben wir durch das alles nun mehr Zeit?«

»Ich glaube, es war der *Celtic Tiger*«, sagte Jim. »Wir haben unsere Seelen an der Börse verkauft.«

Larry zupfte an den Saiten seiner Geige herum und stimmte nach. Die Unterhaltung bewegte sich, soweit er sehen konnte, nirgendwohin. »Noch ein Stück zum Abschied«, sagte er.

Mary Green trat unruhig von einem Fuß auf den anderen. »Bitte, Jungs«, sagte sie. »Macht schon.«

»Ihn werden sie wohl kaum verhaften«, meinte Jim und löste wieder die Riemen an seinem Instrument.

»Vielleicht doch«, sagte Laura.

Larry gab schon den Einsatz zu einem Stück. »Sollen sie's doch versuchen«, meinte er und ließ seinem Bogen freien Lauf.

JJ lag im Bett. Er hatte am nächsten Tag einen Hurling-Wettkampf und musste früh aufstehen, um noch einiges vorher zu erledigen. Und obwohl er so viel Schlaf wie möglich brauchte, konnte er einfach nicht einschlafen.

Wieso hatte seine Mutter in den ganzen fünfzehn Jahren seines bisherigen Lebens nie mit ihm über ihren Vater gesprochen? Noch verwunderlicher war, dass er nie daran gedacht hatte, sie nach ihm zu fragen, und nie neugierig gewesen war. Kam das auch in anderen Familien vor? Konstruierten alle Eltern eine geistige Landkarte für ihre Kinder, auf der weite Teile ihres Lebens außerhalb der Grenzen lagen? Hatten alle Familien verborgene Gebiete, die so gut versteckt waren, dass sie völlig unsichtbar wurden?

Und als wären verschwindende Väter und Pfarrer nicht schon genug, machte sich JJ auch noch Sorgen um seine Freundschaft mit Jimmy. Sie waren schon seit dem Kindergarten beste Freunde. Er hatte Jimmy verziehen, was dieser über seinen Urgroßvater gesagt hatte. Irgendwann einmal würde er vielleicht sogar mit ihm darüber reden und ihm die Liddy-Version der Geschichte erzählen. Aber in der Zwischenzeit gab es da noch das Problem mit der Disko. Jimmy hatte seinen Stolz überwunden, um ihn einzuladen. Es war ein Friedensangebot, und wenn JJ es zurückwies, indem er nicht auftauchte, würde es vielleicht keine zweite Chance geben, ihre Freundschaft wieder zu kitten.

Er drehte sich im Bett um. Ein schwerer, vom Wind getriebener Schauer galoppierte über das Dach, gab kurz Ruhe und galoppierte dann zurück. Er würde sich eine Entschuldigung für Jimmy ausdenken müssen. Vielleicht konnte er so tun, als wäre er krank? Nein. Das würde nicht funktionieren. Zu viele Leute würden ihn beim Tanzabend spielen sehen. Und wenn er einfach behauptete, seine Eltern würden es ihm nicht erlauben? Ihnen die Schuld in die Schuhe schieben? Sich über sie beschweren?

Das brachte er nicht fertig. Ein andermal vielleicht, aber im Moment gerade nicht. Er konnte das Vertrauen nicht missbrauchen, das ihm seine Mutter am Abend entgegengebracht hatte. Er konnte ihr Gesicht jetzt noch vor sich sehen; die Verletzlichkeit darin, als sie über ihren Vater gesprochen hatte. Sie hatte ihn niemals zu Gesicht bekommen. Es gab eine Lücke in ihrem Leben, wo er hätte sein sollen.

JJ würde es wieder gutmachen. Er würde morgen Abend seinen Platz neben ihr haben und zum Haustanz aufspielen, zu Ehren all der Liddys, die es vor ihm gegeben hatte. Er war entschlossen, noch mehr für sie zu tun. Er würde das besorgen, was sie sich als Geburtstagsgeschenk gewünscht hatte. Er wusste noch nicht, wie er es anstellen sollte, aber so oder so würde er ihr etwas Zeit kaufen.

Es war drei Uhr morgens, als der neue Polizist schließlich aus dem Pub torkelte. Sein Gedächtnis war nie besonders gut gewesen, aber er hatte das ungute Gefühl, dass er irgendwann in den vergangenen drei Stunden damit gedroht hatte, Mary Green zu verhaften, wenn sie den Musikern nicht noch etwas zu trinken brachte. Und das nicht nur einmal.

Und er hatte sogar getanzt. Dafür war Patrick O'Hare verantwortlich gewesen, der es allen Anwesenden ankündigte und eine freie Fläche einforderte, ohne ihn überhaupt vorzuwarnen. Sergeant Early würde bestimmt nicht begeistert sein. Wenn er Glück hatte, kamen ihm die Vorfälle nicht zu Ohren. Jetzt konnte er sowieso nichts mehr daran ändern.

Ein leichter Nieselregen fiel, während er die Straße entlangging. Er hoffte, der Regen würde nicht in den Geigenkasten eindringen, denn Autofahren kam nicht mehr infrage. Er war nicht wirklich betrunken, andererseits wusste er nicht, ob er selbst ohne einen Tropfen Alkohol im Blut noch fahrtüchtig gewesen wäre. Das Auto konnte bleiben, wo es war. Er hatte noch die nächsten beiden Tage dienstfrei und wollte sowieso nirgendwohin fahren. Und um nach Hause zu kommen, brauchte er den Wagen nicht.

TOMORROW MORNING
Trad

17

Es schüttete den ganzen Morgen. Die Ziegen standen mit trübsinnigen Blicken unter ihrem Schutzdach und weigerten sich standhaft, die Heulage anzurühren, die man ihnen anbot.

»Dann brauchen sie's auch nicht«, sagte Ciaran. »Sie werden es fressen, wenn sie hungrig genug sind.«

»Vielleicht«, sagte Helen. »Und vielleicht werden wir letztlich doch mehr Heu kaufen müssen.«

JJ fütterte die Jungtiere. Sie wurden langsam groß und frech. Sie standen auf ihren Hinterbeinen, um über das Unterteil der Stalltür zu schauen, und sie schubsten JJ, wenn er mit den Eimern voll Milch für sie hereinkam. Es wurde höchste Zeit, dass sie entwöhnt wurden und zum Rest der Herde nach draußen kamen.

Als er fertig war, duschte JJ und breitete dann seine Bücher auf dem Küchentisch aus. Da war der Aufsatz für Geschichte, der eigentlich schon zu Beginn der Sommerferien hätte fertig sein sollen, das war mehr als drei Monate her, und der Lehrer platzte schon fast vor Wut. Er machte ein bisschen weiter, mitten im Kommen und Gehen des übrigen Haushalts. Und Marian setzte sich sogar kurz zu ihm hin und half ihm, als sie von ihrer Übernachtungsparty nach Hause kam.

Um die Mittagszeit rief der Hurling-Trainer an. Marian war im Wohnzimmer und arbeitete wieder an ihrem Theatertext. JJ hörte, wie sie dort den Hörer abnahm und dann wieder auflegte. Der Trainer ließ ihm ausrichten, dass das Spiel abgesagt war, weil der Platz unter Wasser stand. JJ seufzte erleichtert auf und kehrte zu seinen Büchern zurück. Einen Augenblick später klingelte das Telefon wieder.

»Ich bin nicht da«, sagte Helen, die mit einer großen Ladung Eier hereingestürmt kam. »Ich muss erst den ganzen Käse fertig machen, bevor der mir noch anfängt zu schimmeln.«

JJ ging ans Telefon. Es war Jimmy.

»Wie geht's, JJ?«

JJ hörte, wie sich das Hintergrundgeräusch in der Telefonverbindung veränderte, als hätte jemand an der Nebenstelle abgenommen, aber er war zu aufgeregt, um darauf zu achten, ob derjenige auch wieder auflegte oder nicht.

»Gut«, sagte er. »Das Spiel ist ins Wasser gefallen.«

»Cool«, sagte Jimmy. »Und du kommst doch heute Abend, oder?«

JJ erwischte es kalt. Er war schließlich eingeschlafen, ohne sich zu entscheiden, was er sagen würde. Und weil Helen hinter ihm am Spülbecken stand und die Eier wusch, konnte er nicht mit einem Haufen Lügen kommen. Aber wenn er Nein sagte, würde Jimmy vielleicht nie wieder mit ihm sprechen.

»Denke schon«, war das Beste, was ihm einfiel. Es klang nicht sehr überzeugend, aber Jimmy hörte, was er hören wollte.

»Alles klar«, sagte er. »Weißt du, was ich mir überlegt habe? Der Bus ist hier nicht vor zwei Uhr morgens zurück.«

»Oh«, sagte JJ. Vielleicht konnte er das als Ausrede benutzen. Aber Jimmy hatte eine Lösung.

»Du könntest bei mir schlafen, wenn du deine Eltern nicht aus dem Bett holen willst.«

»Dir fällt doch immer was ein«, sagte JJ. »Super Idee.«

»Bis dann also«, sagte Jimmy. »Zwanzig nach neun am Hafen.«

JJ legte den Hörer auf und starrte ihn an.

»Was ist eine super Idee?«, fragte Helen.

»Nichts«, sagte JJ. Er ging ins Wohnzimmer, wo Marian es sich neben dem Kamin gemütlich gemacht hatte und ihren Text mit einem roten Stift markierte.

»Hast du mein Telefongespräch belauscht?«

»Welches Telefongespräch?«

»Ja oder nein?«

»Verpiss dich, JJ. Ich hab zu tun.«

Er ging hinaus und knallte die Tür hinter sich zu. Was spielte es überhaupt für eine Rolle?

JJ musste seinen Aufsatz fürs Mittagessen wegräumen, und bevor er noch Zeit hatte, alles wieder auszubreiten, kamen auch schon Phil und seine Freundin Carol, um zu helfen, die Scheune für das Céilí fertig zu machen.

JJ ging mit ihnen hinaus und Helen und Ciaran kamen wenige Minuten später hinterher. Carol arbeitete in einem Pub in Ballyvaughan und besorgte die alkoholfreien Getränke und die Chips zu Großhandelspreisen. Der Eintritt zum Céilí war frei, da folgte man dem alten Liddy-Prinzip, aber die Tanzstunden, die an den anderen Samstagen stattfanden, brachten mehr als genug ein, um die Unkosten für Getränke und Knabbereien zu decken.

Der Regen hatte aufgehört und der Himmel war wieder klar. Es war nicht kalt, aber Ciaran machte dennoch Feuer im Ofen. Die Scheune war ein altes Gebäude, das selbst bei allerbestem Wetter ein bisschen Hilfe beim Trocknen nötig hatte.

»Habt ihr unseren neuen Polizisten schon kennen gelernt?«, fragte Phil.

»Nein«, antwortete Helen.

»Ich wusste gar nicht, dass wir einen haben«, sagte JJ.

»Das ist vielleicht ein Typ«, meinte Phil.

»Hast du ihn denn noch nicht gesehen?«, sagte Carol zu Helen. »Ein Traummann.«

»Ach wirklich?«, meinte Phil düster. »So was hatte ich schon befürchtet.«

»Allerdings ist er das«, sagte Carol. »Er sollte Filmschauspieler werden.«

»Und dann spielt er noch Fiddle«, sagte Phil.

»Er spielt Fiddle?«, fragte Helen.

»Na, das hat uns hier in Kinvara ja gerade noch gefehlt«, sagte Ciaran. »Noch ein Fiddler. Man kann hier ja nicht ausspucken, ohne versehentlich einen zu treffen.«

»Aber du solltest ihn mal hören«, meinte Phil. »Er war gestern Abend im *Green's*. Einfach wunder-, wunderschöne Musik.«

»Im *Green's*? Ein Polizist?«

»Und tanzen tut er auch«, sagte Carol. Sie tanzte selber, und zwar gut. Sie gehörte zu den Stammgästen bei den Céilís auf dem Liddy-Hof. »Du müsstest ihn mal sehen, Helen. Leicht wie eine Feder.«

»Ihr nehmt uns auf den Arm«, sagte Ciaran.

»Nein, ich schwöre«, sagte Phil. »Es ist die Wahrheit. Er hat uns am Donnerstag rausgeschmissen und am Freitag hat er die ganze Nacht mit uns gespielt.«

Helen lachte. »Das ist mal ein Polizist, der mir gefällt. Wir sollten ihn hierher einladen.«

»Daran habe ich noch gar nicht gedacht«, sagte Phil. »Ich hätte ihn fragen sollen. Ob er wohl kommen würde?«

»Weißt du, wo er wohnt?«, fragte JJ.

»Nein«, sagte Phil. »Aber ich könnte mich umhören. Irgendjemand weiß es bestimmt.«

Dann fuhren sie wieder ab, zwei Leute mit einer Aufgabe. Ciaran ging zurück in sein Arbeitszimmer, Helen kehrte in die Käserei zurück und JJ holte seine Bücher wieder hervor.

Aber er konnte nicht arbeiten. Er musste sich etwas einfallen lassen, was er Jimmy sagen konnte. Er konnte ihn nicht einfach so sitzen lassen.

Und dann kam ihm der Einfall. Der war so einfach, dass er nicht begreifen konnte, warum er so lange dafür gebraucht hatte. Er würde dazu eine dieser Aufgaben erledigen müssen, die er ständig auf die lange Bank schob, aber wenn er den Geschichtsaufsatz auf morgen verschob …

Last Night's Fun
Trad
5
9
14

TEIL 2

1

EINE Stunde später war der Platten repariert, und er wollte sich gerade auf den Sattel seines Fahrrads schwingen, als Helen ihn entdeckte.

»JJ!«

Im ersten Augenblick tat er so, als hätte er nichts gehört, aber das hielt er nicht durch. Er schwang das Rad herum und kam schlitternd vor ihr zum Stehen.

»Wo fährst du hin?«, fragte sie ihn.

»Ich will nur rasch Jimmy was sagen.«

»Was denn?«

»Ach, nichts Besonderes.«

Helen warf einen Blick auf die Uhr und JJ schaute reflexartig auf seine. Es war eine schicke neue Uhr, die er zum Geburtstag bekommen hatte, mit fünf verschiedenen Zeitzonen und einem Taschenrechner. Sie zeigte 16.30 Uhr.

»Bist du zum Abendessen zurück?«

»Na klar. Bis dahin ist jede Menge Zeit.«

JJ wollte sich wieder entfernen, aber Helen rief ihn zurück.

»Könntest du mir einen Gefallen tun und auf dem Weg diesen Käse bei Anne Korff vorbeibringen?«

Es lag überhaupt nicht auf seinem Weg. Anne Korff wohnte in Doorus, ungefähr vier Meilen südwestlich des Dorfes. JJ wollte Helen schon darauf aufmerksam machen, als ihm ihr Geburtstagswunsch wieder einfiel. Wenn es ihr Zeit sparte, würde er es tun. Und die zusätzliche Zeit unterwegs würde ihm die Gelegenheit bieten, sich noch genauer zu überlegen, was er zu Jimmy sagen wollte.

Aber seltsamerweise wusste er es bereits, als er noch nicht einmal am Ende der Einfahrt angelangt war. Er würde Jimmy die Wahrheit sagen. Mit etwas Glück würden sie es schaffen, von dem Großbildfernseher in Jimmys Wohnzimmer loszukommen, und einen ruhigen Platz zum Reden finden. Dann würde JJ ihm alles anvertrauen. Von Mann zu Mann. »Hör mal, Jimmy. Es ist so. Ich würde gerne mit in die Disko kommen, echt. Aber noch lieber will ich selber spielen. Es steckt mir im Blut. Es ist angeboren, weißt du …?«

Wenn die Zeit reichte, würde er Jimmy erzählen, warum; würde ihn in einen Teil der Geschichte der Liddys einweihen. Vielleicht nicht alles. Nicht das mit Helens Vater und der Geige. Aber den Rest schon. Dann läge es bei Jimmy. Wenn ihm ihre Freundschaft wirklich etwas bedeutete, dann würde er ihn verstehen. Wenn nicht, konnte JJ auch nichts daran ändern.

Von Westen näherte sich wieder eine dunkle Wolkenfront, aber noch war es trocken. Das Fahrrad war schnell. Es hatte seit dem Frühjahr einen Platten gehabt, und wie JJ nun die herbstlich gefärbten Straßen entlangflitzte, konnte er kaum glauben, dass er den ganzen Sommer ohne das Rad ausgekommen war, nur wegen einer knappen Stunde Arbeit. Vielleicht war das ein Teil des Geheimnisses, wie man mit dem Zeitmangel umgehen musste. Indem man die richtigen Prioritäten setzte. Wenn er das Fahrrad im Sommer gehabt hätte, hätte er sich und seinen Eltern Zeit sparen können. Vielleicht stellte sich ja heraus, dass Helens Geburtstagswunsch doch gar nicht so hoch gegriffen war. Ciaran hatte ihm beigebracht, dass alles möglich war. Es kam nur darauf an, es richtig zu betrachten.

Er überquerte die Hauptstraße am oberen Ende des Dorfes und sauste durch Croshua hinab in Richtung Doorus und in Richtung Meer. Das Radfahren war das reinste Vergnügen. Der Sauerstoff pulsierte in JJs Kopf. Er fühlte sich prächtig.

Anne Korff war in ihrem Gemüsegarten hinter dem Haus. Sie hörte Lottie bellen und kam nach vorne, ein Bund Karotten, zwei Pastinaken und ein Dutzend Kartoffeln im Arm. JJ streckte ihr den Käse entgegen.

»Jetzt hast du ihn mir extra runtergebracht«, sagte sie. »Ach, JJ, das ist aber nett von dir. Es wäre wirklich nicht nötig gewesen.«

»Kein Problem.« JJ sah, dass Anne keine Hand mehr frei hatte, um den Käse zu nehmen. Er öffnete ihr die Tür und sie trat vor ihm ins Haus.

»Kaum zu glauben, aber das hier sollte eigentlich mein Mittagessen sein«, sagte sie. »Die Zeit spielt verrückt, rast einfach so vorbei.«

Sie ließ das Gemüse ins Spülbecken fallen und wusch sich die Hände unter dem Wasserhahn. JJ legte den Käse oben auf den Kühlschrank.

»Dann bis zum nächsten Mal«, sagte er und ging in Richtung Tür.

Aber Anne rief ihn zurück. »Warte noch. Wenn du schon hier bist, dann kann ich dir gleich etwas geben.«

»Nein, nein«, sagte JJ. »Das ist nicht nötig.«

»Nicht dafür, dass du den Käse gebracht hast«, sagte Anne. »Ich habe gleich an dich gedacht, als ich es gefunden habe.« Sie trocknete ihre Hände an der Jeans ab. »Also, wo steckt es bloß?«

Sie wühlte durch die Schubladen und Schränke. JJ wartete ungeduldig neben der Tür.

»Und was machst du so in der letzten Zeit?«, fragte sie.

»Ach, immer das Gleiche«, sagte JJ. »Schule, Hurling, Musik.«

»Bist ein talentierter Junge«, sagte Anne. »Wo zum Teufel ist diese CD? Ich hab sie erst vor ein paar Tagen noch gesehen. Irgendwo …« Sie ging zu einer anderen Kommode auf der anderen Seite des Raumes hinüber. »So viel Zeug. Ich müsste hier mal ausmisten. Wenn bloß die Zeit dazu wäre …«

»Tja, die Zeit«, sagte JJ. »Hast du eine Ahnung, wo ich welche kaufen kann?«

Anne lachte. »Ich wünschte, ich wüsste es. Die Leute sagen das so leichthin, findest du nicht? Zeit kaufen. Das ist eben nicht möglich.«

»Ach, es ist bestimmt möglich«, meinte JJ.

»Ja?«, sagte Anne. »Weißt du wie?«

»Noch nicht. Aber ich finde es raus.«

»Aha?«

»Yep. Meine Mum hat sich das zum Geburtstag gewünscht, und ich habe vor, es für sie zu besorgen. Wo ein Wille ist, da ist auch ein Weg.«

Anne hörte auf herumzukramen und schaute JJ mit nachdenklichem Gesicht an. »Meinst du das ernst?«

»Absolut. Hundertprozentig. Ganz gleich, was dazu nötig ist, ich tu's.«

»Na ja, es ist nur …« Anne hielt inne. »Ach! Es ist zu verrückt.«

»Was ist zu verrückt?«

»Nichts. Ich habe nur gedacht … Manchmal findet ein Mensch mit so viel Entschlossenheit einen Weg, um ein Problem zu lösen, das sonst keiner lösen kann.«

»Wie meinst du das?«, fragte JJ.

Anne fing wieder an, im Schrank zu stöbern, aber JJ merkte,

dass ihre Aufmerksamkeit nicht da war, wo ihre Finger waren.

»Du hast eine Idee, oder?«, sagte er. »Ich wünschte, du würdest es mir sagen.«

Sie seufzte und schloss die Tür des Schrankes. Wieder betrachtete sie ihn nachdenklich, als versuche sie, ihn einzuschätzen.

»Ich habe keine Ideen mehr«, sagte sie. »Das ist das Problem. Ich weiß, wo die Zeit hin verschwindet, aber ich weiß nicht, wie man sie aufhalten kann. Die Lage ist sehr ernst, JJ. Viel ernster, als alle glauben.«

JJ setzte sich auf einen Hocker. Jimmy konnte warten. Annes Worte brachten sein Blut in Wallung. Das hier war wichtig.

»Warum? Wohin verschwindet sie?«

Anne schien mehr mit sich selbst zu reden als mit ihm. »Ein entschlossener junger Mann. Vielleicht ist es das, was wir brauchen.«

»Ich meine das wirklich ernst«, sagte JJ. »Es ist mir gleich, was dazu nötig ist. Wenn ich für meine Mutter Zeit kaufen kann, dann werde ich es tun.«

»Ich sehe, dass du entschlossen bist«, sagte Anne. »Aber ich frage mich, ob du auch mutig genug bist.«

»Mutig genug? Warum? Was muss ich tun?«

»Zuerst einmal musst du herausfinden, wie eine Erdkammer von innen aussieht«, sagte Anne. »Wenn du das hast, was man braucht, um hindurchzugelangen, dann ist der Rest vielleicht gar nicht mehr so schlimm.«

»Wo hindurchgelangen?«

»Wenn ich es dir erzählen würde, würdest du mir nicht glauben«, sagte Anne. »Wenn du ganz sicher bist, dass du es tun willst, dann bringe ich dich dorthin. Aber danach musst du alleine klarkommen.«

THE LAD THAT CAN DO IT
Trad
6
1
2
10
14
1
2

2

DIE Erdkammer war eine viel größere Mutprobe für JJ, als er erwartet hatte. Um hineinzugelangen, musste man sich in ein Loch im Boden fallen lassen, sich dann auf den Bauch legen und durch einen kurzen Tunnel robben. Aber nachdem er das geschafft hatte, fand JJ es gar nicht mehr so schlimm. Sie befanden sich nun in einem langen, schmalen Raum mit Lehmboden und einer gewölbten Steindecke.

»Beeindruckend, nicht wahr?«, sagte Anne Korff und hielt ihre Kerze so hoch, dass JJ sich richtig umsehen konnte.

»Ja«, sagte er und meinte es ehrlich.

»Davon gab es früher tausende in ganz Irland«, sagte Anne. »Heute sind nur noch wenige übrig.«

»Was ist mit den anderen passiert?«

»Ich vermute, dass die meisten sogar noch existieren, aber die Leute haben die Zugänge blockiert.«

»Warum?«

»Na ja, ich nehme an, weil es gefährlich sein könnte. Vielleicht sind mal Tiere hineingefallen oder Kinder. Oder vielleicht wollten die Leute nicht, dass jemand auf der anderen Seite hinaus- oder von dort hineinging.«

»Man kommt auf der anderen Seite hinaus?«, fragte JJ.

»Das zeige ich dir gleich«, sagte Anne.

Sie führte ihn bis zur anderen Stirnseite der Kammer und kroch dort durch ein zweites Loch in der Wand. JJ folgte dem flackernden Lichtschein ihrer Kerze und fand sich in einer weiteren Kammer wieder, etwas kleiner als die erste.

»Manchmal sind es mehrere Kammern«, erklärte Anne. »Hier sind es nur zwei. In anderen Teilen der Welt gibt es erstaunlich komplizierte Varianten hiervon: Pyramiden, Katakomben, Steinkreise und Ähnliches. Die Iren hatten schon immer einen Sinn für das Einfache.«

JJ konnte keinen Ausgang aus der Kammer entdecken. Er begann zu ahnen, dass »die andere Seite« etwas anderes bedeuten könnte, als er zunächst angenommen hatte. Anne führte ihn in den hintersten Winkel der Kammer. Sie deutete auf die Ecke, wo die beiden Wände aufeinander trafen.

»Hier geht es hindurch«, sagte sie.

Außer massiven Steinwänden konnte JJ nichts erkennen. »Wo?«

»Glaubst du wirklich, dass alles möglich ist?«, fragte Anne.

»Ja, das tue ich«, sagte JJ mit Nachdruck.

Und mitsamt der einzigen Kerze trat Anne Korff durch die Wand und verschwand.

Plötzlich allein in der undurchdringlichen Finsternis, wurde JJ von einer Angst befallen, die alles in ihm zu ersticken drohte. Aber noch bevor diese Angst ganz von ihm Besitz ergriffen hatte, kam Anne Korff auch schon zurück. Trat einfach aus der Wand, so wie sie hineingetreten war.

»Ich gehe jetzt hindurch«, sagte sie. »Und diesmal komme ich nicht zurück. Willst du mitkommen oder hier bleiben?«

»Warte!«, sagte JJ, der zu verwirrt und verängstigt war, um zu einem Entschluss zu kommen. »Lass mich hier nicht wieder alleine im Dunkeln!«

»Dann komm mit«, sagte Anne. »Denk nicht drüber nach. Geh einfach hindurch …«

Sie packte ihn am Ärmel. Die Aussicht, wieder alleine in der Dunkelheit zurückzubleiben, war weit beängstigender, als durch eine Wand zu treten. Als Anne wieder einen Schritt nach vorne machte, folgte ihr JJ.

Er hätte nie für möglich gehalten, dass man sich gleichzeitig von einem Ort entfernen und dort ankommen konnte. Aber genau das schien passiert zu sein. Die Kammer war in jeder Hinsicht die gleiche. Der einzige Unterschied, den JJ wahrnehmen konnte, lag nicht in seiner Umgebung, sondern in ihm selbst. Das drängende Gefühl, das ihn, solange er denken konnte, in jeder wachen Minute erfüllt hatte, war plötzlich verschwunden. Er hatte sich tatsächlich so daran gewöhnt, dass er es überhaupt nicht mehr wahrgenommen hatte. Aber dass es plötzlich fehlte, war erstaunlich. Er fühlte sich schwerelos.

Anne hatte sich wieder zur Wand gedreht. »Es ist wie eine Membran«, sagte sie und streckte eine Hand aus. Sie verschwand in den Steinen. Ohne eine Lücke. Nichts öffnete sich. Die Steine legten sich eng um ihren Arm. Sie wirkten massiv, aber sie mussten so flüssig wie Wasser sein. »Es ist eine perfekte Dichtung. Wir zerstören sie nicht, wenn wir hindurchtreten. Sie formt sich um uns und schließt sich wieder hinter uns, so wie Wasser, wenn wir hineinsteigen.«

»Wohin hindurch?«, fragte JJ. Er versuchte noch immer zu begreifen, wie man einen Raum verlassen und gleichzeitig betreten konnte. Soweit er feststellen konnte, waren sie nirgendwohin gegangen.

»Komm mit und sieh es dir an.«

Anne führte ihn durch die beiden Kammern zurück. Für JJ schien es genau derselbe Weg zu sein, auf dem sie gekommen waren. Aber als sie wieder ans Tageslicht traten, war die Welt nicht so, wie sie sie verlassen hatten. Der Himmel, der grau gewesen war, war jetzt blau. Die Felder und Bäume trugen nicht mehr ihr Herbstkleid, sondern waren üppig und grün.

»Das verstehe ich nicht«, sagte JJ.

»Willkommen in Tír na nÓg«, sagte Anne Korff. »Im Land der ewigen Jugend.«

FAREWELL TO
IRELAND
Trad
5
9
13

3

JJ saß auf dem warmen, grasbewachsenen Hügel des Ringforts und schaute zu den sonnenbeschienenen Bergen hinauf. »Wenn es so einfach ist, hierher zu gelangen, warum machen es dann nicht alle?«, fragte er Anne Korff.

»Heutzutage gibt es nicht mehr viele Leute, die in die unterirdischen Kammern gehen«, sagte Anne. »Und selbst wenn sie es tun, kommt es ihnen offenbar nicht in den Sinn, durch die Wand zu treten.«

JJ lachte. »Warum nur?«, sagte er.

»Manche Leute fallen versehentlich hindurch«, sagte Anne. »So ist es mir gegangen. Ich habe wie üblich ein wenig herumgestöbert. Dabei ist mir die Taschenlampe runtergefallen und kaputtgegangen. Ich versuchte, mich an den Wänden entlangzutasten, und ehe ich mich's versah, war ich hier.«

»Hast du irgendjemandem davon erzählt?«

Anne schüttelte den Kopf. »Es hat lange gedauert, bis mir klar wurde, was da geschehen war. Es ist nicht so einfach, sich später an das zu erinnern, was passiert, während du hier bist. Wenn du zurückkehrst, kann das sehr verwirrend sein. Vergiss das nicht, JJ. Wenn du dich in einer Erdkammer oder sonst wo wiederfindest und sehr verwirrt bist, hab keine Angst. Dein Verstand befindet sich in einem Schockzustand, das ist alles.

Meistens kommt ein Teil der Erinnerung später zurück. Aber bis dahin… na ja, ich weiß nicht. Ich hatte nie das Bedürfnis, jemandem zu erzählen, dass ich in Tír na nÓg war. Höchstwahrscheinlich würde man mir sowieso nicht glauben. Und was wäre, wenn man mir glaubte?«

Sie reichte JJ die Kerze und eine Schachtel mit Streichhölzern. »Die wirst du für den Rückweg brauchen.« Sie klopfte auf ihre Jackentasche. »Ich hab noch welche.«

»Bleibst du nicht hier?«

»Das würde ich gerne«, sagte Anne. »Aber ich hab noch viel zu viel zu tun. Bitte vergiss nicht, auf dem Rückweg bei mir vorbeizukommen.«

Sie ging zum Eingang der Erdkammer zurück und wandte sich noch einmal um.

»JJ?«

»Mm?«

»Bleib nicht zu lange. Denk daran, was mit Oisín passiert ist.«

JJ kannte drei Menschen namens Oisín. Er konnte sich nicht erklären, in welchem Zusammenhang einer von ihnen mit seiner augenblicklichen Situation stehen sollte.

»Welcher Oisín?«, rief er. Aber Anne war bereits verschwunden.

JJ legte sich ins Gras zurück. Seiner Uhr zufolge war es halb sechs, aber hier musste es schon später sein, wenn man den Stand der Sonne am Himmel betrachtete. Eher sieben, schätzte er. Er würde zu spät zum Abendessen kommen, wenn er sich zu lange hier aufhielt, doch aus unerklärlichen Gründen beunruhigte ihn das nicht im Geringsten. Schließlich hatte er einen Auftrag zu erfüllen. Zeit zu gewinnen, war auf lange Sicht viel wichtiger. Aber er merkte, dass ihn selbst dazu nichts drängte, obwohl er sich Mühe gab. In einem nahe gelegenen Schlehdornbusch sang sich ein Hänfling die Kehle aus dem Hals. JJ konnte nicht begreifen, wie er sich so von der Zeit hatte tyrannisieren lassen können. Wozu war das alles gut gewesen, das ganze Herumgerenne und Gehetze führte doch zu nichts. Allein der Gedanke daran rief ein Gefühl der Erschöpfung in ihm hervor. Er gähnte, eingeschläfert vom Gezirpe der Grillen und dem Gezwitscher der Vögel. Die Klänge erfüllten seine Gedanken und wurden langsam leiser.

THE BIRD IN THE BUSH
Trad
4
7
9
12
15

4

JJ schrak aus dem Schlaf hoch. Er hatte das Gefühl, stundenlang geschlafen zu haben, aber ein Blick auf seine Uhr sagte ihm, dass gerade mal fünf Minuten vergangen waren. Er hatte nur ein kleines Nickerchen gemacht.

Er reckte und streckte sich genüsslich, so wie er es seit Jahren nicht mehr getan hatte, und drehte sich auf die Seite, um noch einmal kurz wegzudämmern. Obwohl er es eigentlich nicht mehr brauchte. Er war vollkommen ausgeruht und bereit, sich der bevorstehenden Aufgabe zu widmen. Der Himmel war noch immer strahlend und er freute sich auf einen kleinen Spaziergang. Zu Hause war das Wetter nie so schön. Oder vielleicht war es das doch, nur waren alle zu gestresst, um es genießen zu können. Ein bisschen Sonnenschein musste man gleich ausnutzen, um Heu zu machen, endlich das Haus zu streichen oder schnell eine Runde zu schwimmen auf dem Rückweg vom Supermarkt.

Er zog die Jacke aus, warf sie sich über die Schulter und machte sich auf den Weg in Richtung Dorf. Unterwegs bemerkte er, dass diese Welt der seinen doch nicht so glich, wie er zunächst gedacht hatte. Es gab zum Beispiel weniger Häuser, und die Häuser, die da waren, sahen nicht wie richtige Häuser aus. Sie hatten ein ungleichmäßiges, organisches Erscheinungsbild, als wären sie aus dem Fels gehauen oder durch eine sanfte Verschiebung der Erdkruste von unten aus dem Boden gedrückt worden. Nirgendwo waren Leute zu sehen, jedenfalls bisher nicht, obwohl bei allen Häusern, an denen er vorbeikam, die Türen offen standen und auf einer Türschwelle eine kleine rötliche Katze saß. Es gab allerdings einige ziemlich seltsame Hinweise darauf, dass es hier Leute geben musste.

Socken.

Als er an der ersten vorbeikam, die in einer Hecke hing, hatte JJ nicht weiter darauf geachtet. Er hatte zu Hause oft gesehen, dass sich einzelne Kleidungsstücke in einer Hecke verfangen hatten, das war also nichts Ungewöhnliches. Doch als er um die Kurve ging und weitere drei Socken im hohen Gras am Wegesrand fand und noch eine ein paar Meter weiter von einem Zweig baumelte, fing er an, sich zu wundern.

Es gab hier mehr Bäume und Büsche, in denen mehr Vögel lebten. Es gab Felder, deren Ränder aber verwildert waren, die Mauern eingefallen und die Hecken voller Lücken. Das wenige Vieh und die Pferde, die er sah, waren wohlgenährt und gepflegt und bewegten sich, soweit er es erkennen konnte, wohin sie wollten. Von den Tieren abgesehen, gab es keinerlei Anzeichen von Landwirtschaft. Keine Traktoren, keine schwarzen Ballen, keine Leute, die draußen das Land bestellten.

Wo steckten sie alle? Und was für Wesen lebten überhaupt in Tír na nÓg? Feen? Kobolde? Götter? Ein kleiner Schauer der Erwartung durchfuhr ihn, aber Angst machte sich nicht breit. Die Sonne schien so warm und hell und außerdem waren da die Socken. Er stieß alle naselang auf sie. Eine hier, zwei oder drei dort. Da waren winzige Babysöckchen mit Comicfiguren oder Teddybären darauf; da waren Kindersocken und Erwachsenensocken, Socken mit Zopfmuster oder

Schottenkaro und gepunktete Socken, Wollsocken und Baumwollsocken und Nylonsocken. Da waren Socken in jeder denkbaren Farbe und jedem Material, darunter aber nicht ein einziges Paar. Wem sie auch immer gehörten, entschied JJ, es konnte niemand allzu Furchterregendes sein.

Er hätte mindestens eine halbe Stunde brauchen müssen, um von seinem Ausgangspunkt zum Dorf zu laufen, doch als er die Hauptstraße erreichte, zeigte seine Uhr noch immer 17.35 Uhr. Er schüttelte sie und hielt sie an sein Ohr. Stille. Ein einzelnes Ticken. Wieder Stille. Er drückte auf alle Knöpfe, probierte alle Zeitzonen durch, zog und drückte an den winzigen Knöpfen herum, mit denen man die Zeiger und den Alarm verstellen konnte. Nichts geschah. Er konnte sehen, dass sich der Sekundenzeiger bewegte, aber unglaublich langsam; ein einzelner, ruckartiger Schritt, dann wieder nichts, dann noch einer. JJ versuchte, sich darüber zu ärgern, wenigstens ein bisschen, aber es misslang. Was machte es schon, dass seine Uhr stehen geblieben war? Wozu überhaupt die Eile?

Er ging weiter und erreichte den Rand des Dorfes. Seines Dorfes. Es war ganz eindeutig Kinvara, aber zugleich war es das nicht. Zwei gelb und blau gestrichene Wasserpumpen standen an der Stelle, wo MacMahons Tankstelle sein sollte. Gegenüber beugte sich die gleiche Reihe kräftiger Bäume über die hohe Steinmauer, aber dahinter ragte anstelle der Kirche eine große Felswand aus dem Boden, in welche Kreise und Spiralen gehauen waren. Struppiges Buschwerk und Farne wuchsen aus den Felsspalten. JJ ging weiter. Er zog es vor, nicht darüber nachzudenken, wer oder was an einem solchen Ort wohl verehrt wurde.

Die Straße durchs Dorf war die gleiche und sie verlief in der gleichen Richtung. Soweit er sehen konnte, hatte sie auch die gleichen Ecken und Kreuzungen, aber die Straßen waren nicht geteert, sondern hatten Kopfsteinpflaster, und die angrenzenden Häuser glichen denen, die er auf seinem Weg gesehen hatte. Sie lehnten sich in allen möglichen seltsamen Winkeln gegeneinander, keines stand mit den Nachbarn in einer Reihe, aber alle wirkten irgendwie entspannt und fügten sich in das Gesamtbild. Soweit JJ sehen konnte, waren alle Häuser leer. Wo steckten die Bewohner nur?

JJ lauschte. Kein Wind regte sich. Er erhaschte einen Blick aufs Meer, wenn er eine der Nebenstraßen kreuzte, die im rechten Winkel zur Hauptstraße aufs Ufer zuliefen. Aber er konnte das Meer nicht hören. Die Oberfläche war wie Glas. Die Luft war zu ruhig für irgendwelche Wellen. Aber er konnte etwas anderes hören – oder glaubte es jedenfalls zu hören. Leise Klänge von Musik zogen ihm die Straße hinauf entgegen.

Er ging weiter in Richtung der Musik. Dabei sah er, wie sich etwas im Schatten der Mauern bewegte. Ein großer grauer Hund, den er zuvor nicht bemerkt hatte, erhob sich. Das Tier stand mitten in JJs Weg. Er wechselte auf die andere Straßenseite, aber der Hund ging von der Mauer weg, um ihm den Weg abzuschneiden. Selbst aus einiger Entfernung konnte JJ sehen, dass das Tier in einem sehr schlechten Zustand war. Es ging auf drei Beinen. Das vierte, eines der Hinterbeine, war am Gelenk teilweise durchtrennt und die Überreste schleiften hinterher. JJ schauderte. Der grauenvolle Anblick warf den ersten Schatten auf seine Wahrnehmung von Tír na nÓg, und er fragte sich, ob noch weitere Schrecken hier auf ihn warteten.

Er blieb mitten auf der Straße stehen. Der Hund war riesig. Die drahtigen Haare und die lange, wohlgeformte Schnauze gaben ihm das Aussehen eines irischen Wolfshundes, aber er war viel breiter und schwerer als andere Hunde dieser Rasse, die JJ bislang gesehen hatte. Er behielt das Tier im Auge, das immer näher kam, jederzeit bereit zu laufen, falls es auch nur eine Spur von Aggression zeigen sollte. Aber das tat es nicht. Sein Verhalten war harmlos, ja fast unterwürfig. JJ hielt die Stellung und wartete, während das Tier zu ihm kam und seine Hand beschnüffelte. Dann streckte er die Hand aus, um es zu streicheln.

JJ beugte sich herab, um die Verletzung näher in Augenschein zu nehmen. Sie war wirklich entsetzlich. Der untere Teil des Beines hing nur noch an ein paar dünnen Hautfetzen und Sehnen. Ein Tropfen Blut fiel herab und wurde vom Staub aufgesaugt.

»Armes Ding«, sagte JJ. »Was ist denn nur mit dir passiert?«

Wie zur Antwort stellte der Hund plötzlich die Ohren auf und drehte den Kopf, um die Straße entlangzuschauen. Eine braune Ziege rannte ihnen entgegen, dicht gefolgt von einem großen, bärtigen Mann.

»Halt sie auf!«, rief er JJ zu.

JJ breitete die Arme aus und versperrte der Ziege den Weg. Sie duckte sich nach links, aber JJ war bestens vertraut mit dem Verhalten von Ziegen und hatte das schon vorhergesehen. Wieder versperrte er ihr den Weg, und diesmal hielt sie inne, um dann zurückzuspringen, direkt in die Arme ihres Verfolgers.

»Gut gemacht«, sagte dieser. »Sie ist ein schreckliches Biest, das muss man sagen.«

Die Ziege gab ein klagendes Meckern von sich und wollte sich losreißen, doch der Mann hielt sie fest an den Hörnern und war nicht geneigt, sie noch einmal entwischen zu lassen. »Komm mit runter zum Kai«, sagte er zu JJ. »Alle sind da unten.«

»Ich hab den Hund hier gefunden«, sagte JJ.

»Ach ja«, sagte der Mann. »Das ist Bran.«

»Er hatte einen furchtbaren Unfall«, sagte JJ.

»War wohl 'n Kampf, würd ich sagen«, meinte der Mann. »Armer alter Bran.«

Er machte sich auf den Weg den Hügel hinunter und zog die widerspenstige Ziege hinter sich her.

»Wir können ihn doch nicht einfach so hier lassen«, sagte JJ.

»Kümmere dich nicht um ihn«, sagte der Mann. »Vermutlich läuft er uns sowieso hinterher.«

JJ sah ihm nach, bis er hinter der nächsten Biegung verschwand. Er befand sich nur ein paar Schritte von der Praxis des Tierarztes entfernt, aber in diesem Kinvara sah sie nur wie ein ganz normales Haus aus. Er warf einen Blick auf die andere Straßenseite hinüber, wo in seiner Welt Séadna Tobíns Apotheke stand. Das schien ein wenig mehr Erfolg zu versprechen. Vielleicht konnte ihm dort jemand sagen, wo der Tierarzt zu finden war.

Die Tür stand, wie alle anderen Türen in der Straße, weit offen. JJ stand draußen und lauschte. Ganz hinten im Laden schienen Leute zu sein. Aber es hörte sich an, als wären sie in einen Streit verwickelt, und JJ wollte nicht klopfen. Vielleicht war es das Beste, zum Kai hinunterzugehen und zu sehen, ob man ihm dort weiterhelfen konnte.

The Big Bow-Wow
Trad

5

IST dir JJ unterwegs begegnet?«, fragte Helen Phil, als dieser zum Céilí eintraf.

»Nein«, sagte Phil. »Ist er denn nicht hier?«

Helen schüttelte den Kopf. »Bestimmt taucht er jeden Augenblick auf.«

Phil öffnete den Kasten und nahm seine Gitarre heraus. »Unseren Polizisten konnte ich auch nicht finden«, sagte er. »Keiner scheint zu wissen, wo er wohnt.«

Helen schaute zur Tür hinüber. Ihre Gedanken waren nicht bei dem Polizisten. »Schade«, sagte sie.

»Wir laufen ihm bestimmt über den Weg vor dem nächsten Céilí«, meinte Phil. »Wenn er wieder im *Green's* auftaucht, sage ich dir Bescheid, einverstanden?«

»Wir können es ja versuchen«, meinte Helen.

»Natürlich nur, wenn er wieder mit seiner Geige kommt, und nicht, wenn er unsere Namen notiert«, sagte Phil.

Nach und nach trafen in Zweier- und Dreiergrüppchen die Tänzer ein und schlenderten zu der improvisierten Bar hinüber. Helen legte die Concertina aus der Hand und ging zur Tür. Es war schon dunkel. Sie schaute in den dunklen Hof hinaus, der bereits voller geparkter Autos stand. Noch eine Gruppe von Tänzern traf ein.

»Ihr seid nicht zufällig auf der Straße an JJ vorbeigefahren, oder?«, fragte sie sie.

Anne Korff hatte gerade die Luft aus JJs Vorderreifen gelassen, als das Telefon klingelte. Auf ihrer Uhr war es schon fast zehn. Sie hob den Hörer ab. Es war, wie sie vermutet hatte, Helen Liddy. Anne hörte zu, dann sagte sie: »Ja, er hat den Käse hier vorbeigebracht, aber das ist schon eine ganze Weile her. Vielleicht so gegen fünf oder so.«

»Hat er gesagt, wo er hinwollte?«

»Ich glaube nicht«, sagte Anne wahrheitsgemäß. »Er war vor allem mit deinem Geburtstagsgeschenk beschäftigt.«

»Meinem Geburtstagsgeschenk?«

»Ja, er wollte irgendetwas für dich besorgen.«

»Oh«, sagte Helen. »Er hat gesagt, er wollte Jimmy Dowling besuchen, aber da geht keiner dran. Vielleicht ist er noch bei jemand anderem vorbeigefahren.«

»Vielleicht«, sagte Anne. »Aber er hat sein Fahrrad hier gelassen. Es hatte einen Platten. Ich habe angeboten, ihn zu fahren, aber er wollte nicht.«

»Ach, das ist es vielleicht«, sagte Helen. Sie klang erleichtert. »Wahrscheinlich fährt er mit jemandem mit.«

Sie legte auf und Anne ließ sich schwer auf den nächsten Stuhl sinken. Dass sich JJs Eltern Sorgen machten, war nicht Teil des Planes gewesen. Aber je mehr sie darüber nachdachte, hatte es ohnehin keinen Plan gegeben. Vielleicht sollte sie lieber gehen und JJ zurückholen, bevor Helen sich noch mehr Sorgen machte. Aber andererseits, falls es JJ wirklich gelingen sollte, ihr Geburtstagsgeschenk zu besorgen, wäre das mehr als genug Entschädigung. Vielleicht würde es nicht schaden, noch ein wenig abzuwarten.

Helen kehrte zum Céilí zurück. Die Tänzer standen noch an der Bar herum und warteten darauf, dass die Musik anfing. Marian, die immer eine gefragte Tanzpartnerin war, löste sich von dem Set von Tänzern, die sie für sich gesichert hatten, und kam herüber.

»Alles in Ordnung, Mum?«

»Ich mache mir nur Sorgen um JJ.«

»Das solltest du nicht«, sagte Marian. »Er kann sehr gut alleine auf sich aufpassen. Er macht keinen Unsinn.«

»Das glaube ich auch«, sagte Helen. »Ich kann bloß nicht verstehen, wo er sein könnte.«

»Hat er es dir denn nicht gesagt?«, fragte Marian. »Der verdammte Schisser.«

»Was hätte er mir sagen sollen?«

»Er ist nach Gort in die Disko gefahren.«

»In die Disko?«

»Ja. Sie haben alles genau geplant. Er bleibt über Nacht bei Jimmy Dowling. Ich kann's nicht fassen, dass er einfach gefahren ist. Er hatte mir versprochen, dass er es dir sagt.«

The Eavesdropper
Trad

6

Der Hund humpelte mühsam hinter JJ her, während dieser zum Kai hinunterging. Am Fuße des Hügels bildete die Straße eine Seite eines offenen, dreieckigen Platzes. Entlang der zweiten Seite stand eine Reihe windschiefer Häuser und die dritte Seite bildete die Hafenmauer. Auf diesem Platz hatten sich alle Bewohner des Dorfes versammelt, um unter freiem Himmel zu tanzen.

Zu JJs Enttäuschung schienen sie aber weder Kobolde noch Götter zu sein. Die Kleider, die sie trugen, zeigten einen Querschnitt durch die Mode mehrerer Jahrhunderte, sodass der Eindruck entstehen konnte, es handele sich um einen Kostümball. Abgesehen davon wirkten die Leute am Kai wenig anders als die Bevölkerung jedes beliebigen irischen Dorfes.

Die Türen des nächsten Pubs standen offen. In seinem Dorf trugen sie Namen wie *Green's*, *Conolly's* und *Sexton's*, aber hier hatten sie keine Namen, jedenfalls keine, die über den Türen geschrieben standen. Die Leute, die nicht tanzten, lehnten an den Wänden oder saßen auf Bänken oder auf dem Bordstein, mit Kelchen und Krügen in der Hand und Gläsern, die mit einer Flüssigkeit gefüllt waren, die JJ verdächtig nach frisch gezapftem Guinness aussah.

Keiner beachtete ihn. Der Hund löste sich von ihm und ließ

sich auf dem Gehweg zwischen der Wand von *Conolly's* und der Ansammlung von Stühlen, Fässern und umgedrehten Eimern nieder, wo die Musikanten ihren Platz hatten. JJ lehnte sich an die Ecke und beobachtete sie von hinten. Sie waren zu sechst, zwei Fiddler, ein Dudelsackspieler, eine Tinwhistle und eine Querflöte und an der Bodhrán, der Trommel, der bärtige Mann, dem JJ schon bei der Verfolgung der Ziege begegnet war. Sie waren mittendrin in einer Folge von Reels. JJ kannte die Melodie, die sie spielten, oder zumindest eine Version davon, aber ihm fiel der Name nicht ein. Sie spielten nicht besonders schnell, aber der Rhythmus, der Schwung der Musik war ansteckend. In JJs Füßen zuckte es, so gerne hätte er mitgetanzt.

Die Tänzer bildeten keine Sets, wie sie es bei den Céilís der Liddys taten, aber sie tanzten auch nicht alleine wie die Step- oder Sean-Nos-Tänzer bei Fleadhs. Irgendwie schaffte es die ganze Gesellschaft, gleichzeitig einzeln und zusammen zu tanzen. Immer wieder formten sie Figuren, um dann wieder auseinander zu gehen und Teil des größeren und auf seltsame Weise perfekten kreisrunden Ganzen zu werden. Ihre Fußarbeit war beeindruckend; ebenso energiegeladen wie elegant. Ihre Körper schienen so leicht wie Luft zu sein.

Viel zu schnell für JJ war die Melodienfolge zu Ende. Die Tänzer gingen auseinander, lachten, zupften ihre Kleider oder ihre Haare zurecht. Einige gingen in Richtung der Pubs, andere standen nur herum und redeten oder flirteten miteinander. Auch mehrere Musiker standen auf, und dabei bemerkten sie ihn, wie er dort an der Wand lehnte. Nach einer kurzen Diskussion winkte ihn einer der Fiddler, ein blonder junger Mann mit einem einnehmenden Lächeln, zu sich her.

»Sei willkommen«, sagte er und führte JJ zu einem freien Platz. »Ich hab dich hier noch nie gesehen.«

»Ich war auch noch nie zuvor hier«, sagte JJ.

»Dann sei umso mehr willkommen«, sagte der Fiddler. »Wir kriegen hier nicht viele neue Gesichter zu sehen. Wie heißt du?«

»JJ.«

Der junge Mann stellte die anderen Musiker vor... Der Dudelsackspieler hieß Cormac, die Flötenspieler waren Jennie und Marcus und der Trommler, der Ziegenjäger, war Devaney. Die andere Fiddlerin, die JJ nicht die Hand gab, da sie zu schlafen schien, hieß Maggie.

»Und ich bin Aengus«, sagte der Fiddler schließlich. »Spielst du auch?«

»Ja, ein bisschen«, sagte JJ. »Vor allem Fiddle. Und ein wenig Flöte.«

»Bestens«, meinte Aengus. »Dann könntest du ja ein Stück mit uns spielen.«

»Ach, nein.« Normalerweise war JJ nicht schüchtern, wenn es ums Spielen ging, aber die Musik, die er eben gehört hatte, war von Rhythmus und Intonation her ein wenig anders. Er wollte erst noch mehr hören, bevor er selbst ein Instrument in die Hand nahm und versuchte mitzuspielen. Abgesehen davon war er, wie er sich mühsam in Erinnerung rief, ja nicht zum Musikmachen hergekommen.

»Ich bin auf der Straße diesem Hund hier begegnet. Weißt du, wem er gehört?«

Alle Musiker wandten sich um und schauten den Hund an, der sich jetzt ganz auf dem Gehweg ausgestreckt hatte.

»Das ist Bran«, sagte Jennie.

»Gehört er dir?«

»Er gehört niemandem«, sagte Jennie.

»Jemand müsste mit ihm zum Tierarzt gehen«, sagte JJ. »Ich würde es auch tun, wenn sich sonst keiner findet.« Er hatte nur zehn Euro dabei und wusste, dass er damit keine Tierarztrechnung bezahlen konnte, aber darum würde er sich sorgen, wenn es so weit war.

»Für Bran kann keiner mehr was tun, JJ«, sagte Aengus. »Kümmere dich einfach nicht um ihn.«

»Komm und spiel mit«, sagte Marcus.

JJ war entsetzt, wie gleichgültig alle gegenüber dem Hund waren. Er war selbst nicht besonders sentimental; er war auf einem Bauernhof mit Tieren aufgewachsen und hatte sie mit allen möglichen Verletzungen gesehen. Aber Brans Wunden waren besonders schrecklich. Sie mussten versorgt werden.

»Ich bin nicht hier, um mit euch zu spielen«, sagte er in etwas schärferem Ton, als er eigentlich beabsichtigt hatte.

»Nein?« JJ vermeinte, einen entsprechenden Anflug von Feindseligkeit in Aengus' klaren grünen Augen zu entdecken, aber der verschwand so schnell, wie er gekommen war. »Warum bist du denn dann gekommen? Eine Rettungsaktion für lahmende Hunde?«

»Nein«, sagte JJ.

»Es gibt also einen anderen Grund, warum du hier bist«, sagte Maggie, die doch nicht zu schlafen schien.

»Ja, den gibt es«, sagte JJ, obwohl die Geschichte mit dem Hund sein Anliegen fast ganz aus seinen Gedanken verdrängt hatte. Es schien absurd, als er es nun vorbrachte. »Man hat mir gesagt, dass ihr mir vielleicht helfen könntet, Zeit zu kaufen.«

»Zeit?«, fragte Devaney.

»Kein Problem«, meinte Aengus.

»Wir haben haufenweise Zeit«, sagte Cormac, »wir wissen gar nicht, wohin damit.«

»Oh, toll«, sagte JJ, obwohl alles immer absurder schien. »Würdet ihr mir dann welche verkaufen?«

»Nimm sie dir einfach«, sagte Aengus. »Nimm dir alles.«

JJ war still und versuchte zu verstehen, was er da hörte.

»Wir wollen sie nicht«, fuhr Aengus fort. »Bitte bedien dich.«

»Ihr meint …«, sagte JJ. »Ihr meint … ich soll sie mir einfach nehmen?«

»Nimm sie dir«, sagte Aengus.

JJ schaute in die Gesichter der anderen und fragte sich, was für einen Scherz sie hier mit ihm trieben. Er konnte keinerlei Anzeichen von Schadenfreude oder Belustigung erkennen. Aber es konnte doch nicht so einfach sein, wie es schien.

Devaney spürte, dass JJ Schwierigkeiten hatte. »Wartet mal«, sagte er. »Vielleicht wäre es besser, wenn er uns etwas dafür gibt.«

»Das wäre es«, sagte Maggie. »Das würde den Handel besiegeln.«

»Und er würde es mehr schätzen, auf diese Weise«, sagte Marcus.

»Richtig«, sagte Aengus. »Also mach uns ein Angebot für alles zusammen.«

JJ befühlte den Zehneuroschein in seiner Tasche. Hätte er gewusst, dass er in diese Situation geraten würde, dann wäre er besser vorbereitet gekommen. Er wünschte, er wäre so vorausschauend gewesen, Anne Korff zu bitten, ihm Geld zu leihen.

Er zog den Schein aus der Tasche. »Das ist alles, was ich habe.«

Alle starrten den schäbigen Schein in seiner Hand an. Er wusste, dass es ein Fehler war. Er hatte sie beleidigt.

»Ich kann noch mehr holen«, sagte er hastig. »Ich hab noch ein paar hundert auf der Bank.«

»Ach, nein, nein«, sagte Cormac. »Das ist es nicht.«

»Du könntest uns beliebige Mengen von diesem Zeug unter die Nase halten«, sagte Jennie.

»Es nützt uns nichts«, sagte Maggie.

»Wir verwenden es nicht«, sagte Devaney.

»Hast du nichts anderes?«, fragte Aengus.

JJ durchsuchte seine Taschen. In der Innentasche seiner Jacke hatte er die Kerze und die Streichhölzer, die Anne Korff ihm gegeben hatte. Die brauchte er für den Rückweg. Auch sein Taschenmesser war da, aber an dem hing er sehr. Wenn es sein musste, würde er es zum Tausch anbieten, aber das wäre nur ein letzter Ausweg. Er durchsuchte alle anderen Taschen.

Aengus schaute zum Himmel hoch. Devaney untersuchte die Bespannung seiner Trommel und haute ein paarmal kräftig darauf. Maggie schien wieder zu schlafen.

»Es muss doch etwas geben«, sagte Devaney.

»Bestimmt gibt es etwas, es muss uns nur einfallen«, sagte Jennie.

»Ich weiß was«, sagte Aengus. »Es gibt etwas, was wir alle wollen.«

»Was?«, fragte JJ.

»Dowd's Number Nine.«

»Ja«, sagte Maggie, die offenbar doch nicht schlief.

»Gute Idee«, sagte Cormac.

JJ zerbrach sich den Kopf. Es war eine bekannte Melodie – so bekannt sogar, dass es zahllose Witze über den Namen gab. Es gab nämlich weder *Dowd's Number Eight* noch *Dowd's Number Ten*, auch kein *Dowd's Number One* oder *Two* oder überhaupt andere Nummern. Einfach nur *Dowd's Number Nine*.

JJ wusste, dass er es spielen konnte. Es war eines von Helens Lieblingsstücken. JJ konnte dutzende, vielleicht sogar hunderte von Stücken spielen, wenn sie in einer Session aufkamen, aber das Problem war, dass er sich nur selten an die Titel erinnerte. Wenn er nicht gerade in einem Wettbewerb spielte, schien ihm das nie von Bedeutung zu sein.

»Kennst du es nicht?«, fragte Aengus, Enttäuschung in der Stimme.

»Doch, schon«, sagte JJ. »Es fällt mir nur gerade nicht ein. Wie fängt es noch mal an?«

»Das ist es ja, was wir wissen wollen«, sagte Maggie.

»Wir konnten es alle einmal spielen«, sagte Marcus. »Aber es ist uns entfallen. Wir hätten es so gerne wieder.«

»Es ist ein tolles Stück«, sagte Devaney.

»Eines der besten«, meinte Jennie.

JJ dachte angestrengt nach. Er verband das Stück mit Joe Cooley, dem großen Akkordeonspieler aus South Galway. Es war auf dem Album, das er noch kurz vor seinem Tod bei einer Pub-Session aufgenommen hatte. Helen legte es zu Hause ständig auf. JJ kannte es in- und auswendig.

Aengus bot ihm seine Geige an. JJ nahm sie, dachte an die CD und probierte eine Melodie.

»Das ist *The Blackthorn Stick*«, sagte Devaney.

JJ probierte es noch einmal.

»*The Skylark*«, sagte Maggie.

JJ zerbrach sich den Kopf, aber ihm fiel einfach nichts anderes ein. »Ich kenne ein paar schöne Stücke von Paddy Fahy«, schlug er vor. »Davon könnte ich euch eins beibringen.«

Jennie kicherte. Aengus schüttelte den Kopf. »Wir haben alle Stücke von Paddy«, sagte er.

»Eigentlich hat er sie von uns«, sagte Cormac.

»Das würde er aber gar nicht gerne hören«, meinte JJ.

»Warum nicht?«, fragte Aengus. »Er wäre der Erste, der es zugeben würde, wenn er dächte, dass ihm irgendjemand glaubt.«

JJ war sich nicht sicher, aber er wollte nicht darüber diskutieren. »Neulich habe ich einen schönen Jig gelernt«, sagte er.

»Lass hören«, sagte Aengus.

JJ fing an, den Jig seines Urgroßvaters zu spielen. Nach den ersten paar Takten fielen die anderen ein. JJ wollte aufhören, da sie das Stück offensichtlich kannten, aber es machte Spaß, mit ihnen zu spielen. Nachdem sie das Stück einmal gespielt hatten, konnte er die Akzente und Verschiebungen erkennen, die ihrem Spiel den besonderen Schwung gaben, und beim dritten Mal fing er an, sie in sein eigenes Spiel einzubauen. Er fing Maggies Blick auf und wechselte zu dem zweiten Stück, das ihm Helen am Abend zuvor beigebracht hatte. Auch das kannten die anderen. Als es zu Ende war, nahm Aengus die Geige wieder.

»Du bist ein prima Spieler«, sagte er. »Aber du würdest die Haare an meinem Bogen abnutzen, bevor du ein Stück fändest, das wir nicht kennen.«

»Sie kommen alle von unserer Seite«, sagte Marcus.

Das war es, was die Leute früher geglaubt hatten. Konnte es sein, dass sie Recht hatten? Aber doch sicher nicht alle Stücke. Paddy Fahy war nicht der Einzige, der neue Stücke komponierte. Da gab es noch viele, viele andere.

»Ich hab selbst mal ein Stück geschrieben«, sagte JJ.

»Hast du nicht«, sagte Maggie. »Das glaubst du nur.«

»Du hast gehört, wie wir es gespielt haben«, sagte Devaney, »und dachtest, du würdest es in deinem eigenen Kopf hören.«

»Das geht vielen Leuten so«, meinte Jennie.

»Spiel mal«, sagte Aengus.

JJ nahm wieder die Geige, hob sie ans Kinn und spielte die ersten paar Töne. In kürzester Zeit stimmten die anderen mit ein. JJ hielt inne und gab Aengus die Geige zurück.

»Ich glaub's nicht«, sagte er. »Dabei ist es noch nicht mal ein gutes Stück.«

»Nicht alle sind gut«, meinte Maggie.

»Wenn es gut wäre«, sagte Marcus, »hätte sich schon lange vorher einer die Mühe gemacht, es uns zu klauen.«

»Nun, nun«, sagte Aengus. »Wir betrachten es eigentlich nicht als Diebstahl.«

Einen Augenblick herrschte Stille, nur unterbrochen von einem schwachen Blöken, das, so meinte JJ, von der Bodhrán ausging. Devaney schlug ein paarmal darauf, woraufhin wieder Ruhe einkehrte. JJ hielt nach der Ziege Ausschau, aber von der war nichts zu sehen. Dann wandte er seine Aufmerksamkeit wieder der Sache mit *Dowd's Number Nine* zu.

»Abgesehen davon gibt es wohl keine anderen Stücke, die ihr vergessen habt?«, fragte er.

Alle schüttelten den Kopf.

»Ich weiß was«, schlug Maggie vor. »Warum nimmst du dir nicht einfach die Zeit? *Dowd's Number Nine* bleibst du uns eben schuldig.«

»Genial«, sagte Aengus, und alle anderen stimmten begeistert zu.

»Bestens«, meinte JJ. »Ich lasse es mir von meiner Mutter zeigen und komme damit zurück.«

»Und wenn nicht«, sagte Cormac, »könnte dann nicht einer von uns auf die andere Seite rübergehen und es holen?«

»Nein«, sagte Maggie. »Das haben wir doch schon probiert, wisst ihr nicht mehr?«

»Stimmt, das haben wir«, sagte Cormac.

»Sobald man dort ist«, sagte Devaney, »vergisst man, wonach man eigentlich suchen wollte. Das ist das Problem.«

»Ich vergesse es nicht«, versprach JJ. »Ich schreib es mir auf die Hand. Ich bringe es euch.«

»Prächtig«, sagte Marcus.
»Abgemacht«, sagte Maggie.
»Na dann, nichts wie los«, sagte Aengus. »Nimm dir so viel Zeit, wie du willst.«
Äußerst zufrieden mit sich, stand JJ auf. Auch die anderen erhoben sich, legten ihre Instrumente ab und besiegelten das Geschäft per Handschlag.
»Okay«, sagte JJ. »Und wie nehme ich sie mit?«
»Das weißt du nicht?«, sagte Maggie.
»Nein«, sagte JJ erwartungsvoll.
Einer nach dem anderen setzten sich alle wieder hin.
»Wir auch nicht«, sagte Devaney.
»Ich dachte mir schon, dass die Sache einen Haken hat«, sagte Aengus.

Drowsy Maggie
Trad
5
9
13

TEIL 3

1

HELEN war sauer auf JJ. Wäre sie das nicht gewesen, hätte sie es wohl nicht bis zur Essenszeit am folgenden Abend hinausgeschoben, bei den Dowlings anzurufen und herauszufinden, ob und wann er vorhatte, nach Hause zu kommen. Als sie dann feststellen musste, dass er nicht dort war und auch nicht mit in der Disko gewesen war, verfiel sie in Panik. Sie befragte Marian eindringlich, bis diese in Tränen ausbrach, und telefonierte dann alle gegenwärtigen und früheren Freunde von JJ durch. Keiner hatte ihn gesehen.

»Vielleicht steckt ein Mädchen dahinter«, meinte Ciaran.

»Er ist erst fünfzehn«, sagte Helen.

»Na und? Genauso alt wie Romeo und Julia.«

»Er ist nicht durchgebrannt, Ciaran!«, blaffte Helen.

»Du musst es jetzt nicht an uns auslassen!«, blaffte Ciaran zurück. »Wahrscheinlich kommt er jeden Augenblick hier zur Tür herein und hat eine völlig logische Erklärung, wo er gesteckt hat.«

Sie waren sich alle einig, dass es gewiss so war, aber die Überzeugung hielt nicht lange an. Marian machte sich Vorwürfe, dass sie Helen gesagt hatte, JJ sei in der Disko. Helen machte sich Vorwürfe, dass sie so lange damit gewartet hatte, die Dowlings anzurufen. Ciaran war es bald leid, den beiden bei ihren Selbstvorwürfen zuzuhören, und machte sich auf den Weg, um das Dorf abzufahren. Er war sicher, dass er JJ dort oder auf dem Weg nach Hause finden würde. Aber als er ohne ihn zurückkam, war Helens Optimismus am Ende.

»Das ist einfach nicht JJs Art«, sagte sie. »Ich bin sicher, dass ihm etwas zugestoßen ist. Ich rufe jetzt bei der Polizei an.«

Sergeant Early nahm Helens Anruf entgegen. Sie gab ihm eine genaue Beschreibung, was geschehen war und welche Kleider JJ getragen hatte, als sie ihn zuletzt gesehen hatten. Er versprach, die Einzelheiten an alle Polizisten in der Gegend weiterzugeben. Eine Stunde später traf er auf dem Hof ein und nahm die vollständigen Aussagen von allen dreien auf. Dabei legte er besonderes Gewicht auf die Frage nach JJs Gemütsverfassung. Fühlte er sich wohl in der Schule? Hatte er Freunde? Eine Freundin? Hatte er ihres Wissens nach jemals Alkohol getrunken oder irgendwelche Drogen genommen? Hatte es mit einem von ihnen Streit gegeben, bevor er verschwand?

Als er fertig war, klappte er sein Notizbuch zu und steckte den Stift ein. »Ich würde an Ihrer Stelle versuchen, mir nicht allzu große Sorgen zu machen«, sagte er. »95 Prozent der als vermisst gemeldeten Personen tauchen innerhalb von 48 Stunden wieder auf.« Auf der Schwelle zögerte er. »Dieses Haus ist berühmt für seine Musik«, fuhr er fort. »Wie oft habe ich Ihre Mutter und Sie selbst spielen hören, Mrs Liddy.«

Helen schenkte dem »Mrs« keine Beachtung. »Musik liegt unserer Familie im Blut, das stimmt«, sagte sie.

»Ich spiele selbst ein wenig«, sagte Sergeant Early. »Banjo. Ich könnte gar nicht leben ohne die Musik.«

»Das Gefühl kenne ich«, sagte Helen.

Als er die Tür hinter sich geschlossen hatte, meinte Ciaran: »Jaysus. Ist das zu fassen? Die könnten ja fast eine eigene Polizeiband gründen, die *Garda Síochána Céilí Band*!«

Die beruhigenden Worte des Sergeants konnten Helens Angst nur wenig mildern. Bei den Liddys hatte es innerhalb von zwei Generationen ebenso viele verschwundene Personen gegeben, von denen keine wieder aufgetaucht war. Die Fragen des Sergeants zu JJs psychischem Zustand hatten bei Ciaran schlimmere Gedanken ausgelöst. Die Zahl der Selbstmorde bei Teenagern auf dem Land stieg kontinuierlich an. Während Helen mit dem Melken begann und Marian das Telefon bewachte, machte er sich still und leise daran, jedes Gebäude der Farm gründlich zu durchsuchen.

The One That Was Lost
Paddy O'Brien
© JDC Publications Ltd.

2

Aus für JJ unerklärlichen Gründen war das Fest plötzlich zu Ende und die Leute liefen nach und nach in alle drei möglichen Richtungen auseinander.

»Vielleicht haben ihnen meine Stücke nicht gefallen«, sagte er.

»Warum sollten sie ihnen nicht gefallen haben?«, sagte Marcus.

Devaney kämpfte mit der Bodhrán, indem er mit einem kleinen Schraubenschlüssel daran herumfuhrwerkte. Die Trommel schien, soweit JJ das erkennen konnte, Widerstand zu leisten, und gab laute, ziegenähnliche Töne von sich. Trotz des Lärms war Maggie wieder eingenickt.

JJ schaute Devaney ein Weilchen zu und versuchte herauszufinden, was da eigentlich vor sich ging. »Eigentlich verstehe ich nicht, warum ihr so wild darauf seid, eure Zeit loszuwerden«, sagte er. »Ich wünschte, ich hätte nur halb so viel davon.«

»Wir wollen sie nicht«, sagte Maggie, ohne die Augen aufzumachen.

»Wir wollen überhaupt keine Zeit«, sagte Jennie.

»Es ist ein Versehen«, sagte Aengus. »Etwas ist passiert. Es sollte hier keine Zeit geben.«

JJ glaubte langsam, dass das Ganze ein ausgefeilter Scherz von Anne Korff war.

»Was würdet ihr denn ohne Zeit machen?«, fragte er.

»Leben«, sagte Maggie.

»Die Dinge fangen schon zu sterben an«, sagte Cormac.

»Was?«, sagte JJ.

»Sieh mal«, sagte Cormac. Er deutete auf einen schwarzen Punkt auf dem Boden unter Jennies Stuhl. JJ beugte sich hinab, um es besser erkennen zu können. Es war eine tote Fliege.

»So was hat es früher nicht gegeben«, sagte Cormac.

JJ lachte ungläubig. »Ihr solltet mal unser Haus sehen«, sagte er. »Da wimmelt es nur so von toten Fliegen. Na ja, wimmeln tut es nicht gerade, aber ...«

»Und so sollte es auch sein«, sagte Maggie und schlug die Augen wieder auf. »Aber hier dürfte es nicht passieren.«

»Wir sind hier in Tír na nÓg«, sagte Aengus. »Dem Land der ewigen Jugend. Aber diese Fliege ist gealtert. Sie ist gealtert und schließlich gestorben. Das dürfte nicht geschehen.«

Devaney gab der Bodhrán einen Schlag mit dem Schraubenschlüssel und der Kampf war, zumindest vorübergehend, beendet. »Wir haben ein großes Problem«, sagte er.

»Und das Problem heißt ZEIT«, sagte Maggie.

Aengus schaute zum Himmel empor, was er schon mehrmals seit JJs Ankunft getan hatte. »Siehst du die Sonne?«

»Ja«, sagte JJ. »Schön, nicht wahr?«

»Das stimmt«, sagte Aengus. Er deutete auf eine Stelle am Himmel, fast über ihren Köpfen. »Aber vorher stand sie immer dort.«

»Natürlich«, sagte JJ. »Und nachher wird sie dort stehen« – dabei deutete er Richtung Westen über den Horizont. »Und dann wird sie untergehen.«

»Und das wollen wir nicht«, sagte Devaney.

»Aber …«

Aengus deutete wieder nach oben. »Da gehört die Sonne hin. In dieser Welt.«

»Was? Immer?«, fragte JJ.

Maggie seufzte matt. »Bei uns gab es bisher kein ›immer‹«, sagte sie. »Es gab immer nur ›jetzt‹.«

»Irgendetwas Furchtbares ist passiert«, sagte Aengus. »Deswegen hatten wir ja gehofft, du würdest die ganze Zeit mitnehmen.«

»Dahin, wo sie hingehört«, sagte Cormac.

»Auf Nimmerwiedersehen«, sagte Devaney.

JJ hatte inzwischen seinen Unglauben überwunden und verfiel in Sarkasmus. »Was ich nicht verstehe«, sagte er, »ist, wie ihr alle hier einfach so den ganzen Nachmittag spielen und tanzen könnt. Wenn euer Problem so schwer wiegend ist, wie ihr behauptet, warum versucht ihr dann nicht, etwas dagegen zu unternehmen?«

»Da hat er Recht«, meinte Jennie.

»Das hat er«, sagte Maggie.

»Die Wahrheit ist«, sagte Aengus, »dass wir einfach nicht besonders gut darin sind, uns um etwas Sorgen zu machen.«

»Wir haben halt keine Übung«, sagte Devaney.

»Ihr Glücklichen«, sagte JJ. »Ich könnte euch ein paar Nachhilfestunden erteilen.«

»Toll«, sagte Aengus.

In diesem Augenblick fing die Bodhrán an, wie wild zu schlagen und zu meckern. Devaney griff nach dem Schraubenschlüssel, dann änderte er jedoch seine Meinung und legte ihn wieder hin. Er stand auf und warf die Trommel mitten auf die leere Straße. Als sie den Boden berührte, verwandelte sie sich in die braune Ziege, der er hinterhergerannt war, als JJ ihm zum ersten Mal begegnet war.

JJ starrte sie an. Den ganzen Unsinn mit den toten Fliegen und der ewigen Jugend konnte er ja gerade noch hinnehmen, aber eben hatte er etwas gesehen, was einfach unmöglich war. Die Ziege schüttelte sich, fand ihre Würde wieder und stolzierte dann den Kai entlang.

»Können wir gleich anfangen?«, fragte Aengus.

»Hmmm?«, sagte JJ.

»Mit der Nachhilfe im Sorgenmachen«, sagte Aengus. »Können wir gleich damit beginnen?«

THE SETTING SUN
Trad
5
9
13

3

NA ja«, sagte JJ. Er war immer noch verblüfft über das, was er am Kai gesehen hatte, und hatte Schwierigkeiten, seine Gedanken beisammenzuhalten. »Ich vermute… ich glaube… Man macht sich eigentlich nicht absichtlich Sorgen.«

Er ging mit Aengus die Hauptstraße des Dorfes entlang, weil dieser sich Tabak holen wollte.

»Nicht?«, fragte Aengus.

»Nein. Man denkt an etwas, was ein Problem ist, und dann passiert es einfach.«

»Das kann doch nicht alles sein«, meinte Aengus.

Sie waren vor der Apotheke angekommen, und JJ blieb stehen, um einen Blick ins Fenster zu werfen. Es war voller uralter Flaschen und Gläser und Schachteln. Einige kleine Messinggefäße enthielten Pulver in verschiedenen Farben, und eines war bis an den Rand mit einer glänzenden Flüssigkeit gefüllt, die JJ Quecksilber zu sein schien. In den dunklen Tiefen des Ladens konnte er mit Mühe weitere Waren erkennen, Mörser und Stößel, Glaskolben, Messingbecher, in die unbekannte Schriftzeichen graviert waren. JJ lächelte still in sich hinein. Séadna Tobín, der Mann, dem die Apotheke im anderen Kinvara gehörte, würde sich über all das köstlich amüsieren.

»Was ist das alles für ein Zeug?«, fragte er Aengus.

»Zutaten«, sagte Aengus. »Für die Alchemie.«

»Was ist Alchemie?«

»Die Kunst des Goldmachens.«

»Wirklich?«, fragte JJ. »Kann man aus diesen Sachen Gold machen?«

»Ich glaube nicht«, sagte Aengus. »Aber es schadet auch nichts, es zu versuchen.«

»Können wir hineingehen?«, fragte JJ.

»Nein, nein.« Aengus packte ihn am Ellenbogen und zog ihn von der Tür weg. »Da drin sind lauter Kobolde. Von denen solltest du dich fern halten.«

»Warum?«

»Raffinierte kleine Leute«, sagte Aengus. »Aber völlig verrückt nach Gold.«

»*Sie* kaufen also dieses ganze Zeug hier?«

»Genau.«

JJ warf noch einen Blick ins Fenster. »Und wie bezahlen sie, wenn ihr kein Geld benutzt?«

»Sie zahlen mit Gold.«

»Hä?«, sagte JJ. »Was hat das denn für einen Sinn?«

»Mich brauchst du da nicht zu fragen«, sagte Aengus. »Ich habe das Gewinnprinzip noch nie richtig verstanden.«

Drinnen im Laden gingen einige schrille kleine Stimmen in einem heftigen Streit aufeinander los. Während sich JJ mit Aengus vom Fenster entfernte, bemerkte er, dass der Hund ihnen gefolgt war. Er humpelte zu JJ und ließ sich von ihm hinter den Ohren kraulen.

»Was ist mit ihm passiert?«, fragte JJ.

»Ich weiß es nicht«, sagte Aengus. »Er war schon so, als er hier aufgetaucht ist.«

»Von wo aufgetaucht?«

»Von der anderen Seite. Von deiner Seite.«

»Aber warum kümmert sich keiner um ihn? Er muss doch jemandem gehören, oder etwa nicht?«

»Schon«, meinte Aengus. »Er gehört Fionn Mac Cumhail.«

»Fionn Mac Cumhail? Aber den gibt's doch gar nicht. Der ist doch bloß eine Figur aus einer Geschichte.«

»Ganz und gar nicht«, erwiderte Aengus. »Den gibt es so wie dich und mich.«

»Vermutlich hat es ihn mal gegeben«, sagte JJ, »aber das muss endlos lange her sein. Wie alt ist dann wohl der Hund?«

Aengus zuckte die Schultern. »Woher soll ich das wissen? Kann man das nicht an den Zähnen sehen?«

»So meine ich das nicht«, sagte JJ. »Wenn es Fionn Mac Cumhails Hund ist, dann ist er uralt. Mehrere hundert Jahre. Wann ist er hier aufgetaucht?«

Aengus schaute wieder zum Himmel empor und deutete nach oben. »Als die Sonne dort war«, sagte er. »Und jetzt hole ich, wenn du nichts dagegen hast, schnell meinen Tabak.«

Er ging in Burkes Laden, oder in das, was in JJs Dorf Burkes Laden gewesen wäre. Hier sah es nicht wie in einem Laden aus. Durch das Fenster konnte er nur ein paar alte hölzerne Regale erkennen, die mit Efeu berankt waren. Er wollte Aengus folgen, als der Hund wieder die Schnauze in seine Hand bohrte, auf der Suche nach ein wenig Zuwendung. Er kraulte ihn unter dem Kinn und beugte sich hinunter, um die Wunde in Augenschein zu nehmen. Wieder fiel ein Tropfen Blut herab und noch einer. Was immer dieser Unsinn mit Fionn Mac Cumhail sollte, die Wunde war noch frisch. Ein guter Tierarzt könnte bestimmt etwas dagegen unternehmen. Aber gab es hier überhaupt Tierärzte?

JJ ging auf der Straße zurück und Bran humpelte ihm hinterher. Am Dorfplatz angekommen, ging er zu dem Haus hinüber, in dem die Tierarztpraxis sein sollte. Er klopfte einfach. Wenn Burkes Laden auch hier ein Geschäft war und wenn man in der Apotheke Zutaten für die Goldmacherkunst kaufen konnte, dann gab es in diesem Haus vielleicht auch eine Art Tierarzt. Aber die Tür wurde von der Müden Maggie geöffnet.

»Hallo noch mal«, sagte sie. »Bist du gekommen, um Musik zu machen?«

»Nein«, sagte JJ. »Ich war auf der Suche nach dem Tierarzt.«

»Dem *Tier*arzt?«

»Ja.«

»Ich wusste nicht, dass es so was gibt«, sagte Maggie. »Jedenfalls haben wir hier keinen. Auch keine Ärzte für Menschen.«

»Ihr habt keine Ärzte?«

»Wozu sollten wir die brauchen?«

»Um euch zu heilen«, sagte JJ. »Wenn ihr krank seid.«

Maggie schüttelte den Kopf. »So funktioniert das hier nicht. Wenn du gesund bist, bist du gesund und wirst auch nicht krank. Wenn du krank bist, bist du krank und wirst nicht wieder gesund. Ich würde mir keine Gedanken um den Hund machen. Immerhin wird er nicht kränker …« Maggie zögerte. »Jedenfalls war es immer so …« Sie deutete zum Himmel hinauf. »Als die Sonne noch da stand, wo sie hingehört.«

JJ drehte sich der Kopf. »Aber er hat doch Schmerzen«, sagte er.

»Tja, das hat er wohl«, meinte Maggie. »Armer Bran. Bist du sicher, dass du nicht Lust auf ein kleines Liedchen hast?«

THE GOLD RING
Trad

4

DER neue Polizist kam frisch und ausgeruht am Montag früh zum Dienst. Er wurde gleich zusammen mit Garda Treacy losgeschickt, um eine Tür-zu-Tür-Befragung in allen Häusern entlang der Strecke durchzuführen, die der vermisste Junge von Anne Korffs Haus bis zum Dorf gegangen sein musste. Zu Larrys Erleichterung war Anne Korff selbst nicht zu Hause. Er hatte sie auf der Fahrt von Gort bereits einmal als »Lucy Campbell« bezeichnet, und er wollte nicht, dass irgendwelche weitere Verwirrung aufkam.

Sie hatten ein Foto von JJ dabei und zeigten es allen, die sie an jenem Morgen zu Hause antrafen, aber keiner konnte sich erinnern, den Jungen am Samstag gesehen zu haben. Der eine oder andere hatte jedoch Garda O'Dwyer gesehen. Nach der zweiten Anspielung auf sein wunderbares Fiddlespiel sagte Garda Treacy: »Na, das müssen wir uns doch irgendwann mal anhören. Wo spielst du denn so?«

»Meistens zu Hause«, sagte Larry.

»Weiß Sergeant Early das?«

»Ich glaube nicht«, sagte Larry.

Treacy hielt am Straßenrand vor dem nächsten Haus an, stieg aber nicht aus dem Wagen. »Er spielt selbst, wusstest du das? Banjo.«

»Ein furchtbares Instrument«, sagte Larry. »Man hätte es in Amerika lassen sollen, wo es hingehört.«

»Das lass lieber nicht den Sergeant hören«, sagte Treacy.

»Ich werde darauf achten«, sagte Larry.

Zum Mittagessen kehrten sie auf die Polizeiwache zurück und fuhren anschließend wieder ins Dorf, um mit den Ermittlungen fortzufahren. Sie fingen mit den Läden an. Mittlerweile hatte die Nachricht von JJs Verschwinden schon überall die Runde gemacht, und die beiden Polizisten hörten viele besorgte Fragen, erhielten aber wenig Informationen.

Im Supermarkt trafen sie auf Thomas O'Neill, einen der ältesten Bewohner von Kinvara. Er kaufte gerade Milch und hatte bereits bezahlt, blieb aber neben der Kasse stehen, als die beiden Polizisten den Laden betraten. Er hörte zu, wie Garda Treacy das Mädchen an der Kasse befragte, dann trat er zu Garda O'Dwyer hinüber.

»Ich kenne Sie von irgendwo her«, sagte er.

»Wirklich?«, sagte Larry mit einem freundlichen Lächeln und rückte zugleich ein Stück von ihm ab. Alte Leute waren für ihn der reinste Horror, vor allem wenn sie ein gutes Gedächtnis hatten.

»Wir sind uns schon begegnet«, sagte Thomas. »Ich weiß bloß nicht, wo.«

»Ich wüsste es auch nicht«, sagte Larry. »Aber ich werde oft verwechselt. Man sagt, ich sei meinem Vater wie aus dem Gesicht geschnitten, als er so alt war wie ich.«

»Wie heißen Sie?«

Larry sagte es ihm. Thomas schüttelte den Kopf. »Das sagt mir gar nichts«, sagte er. »Woher kommen Sie?«

»Ich bin in Sligo aufgewachsen«, sagte Larry. »Aber ich bin oft umgezogen.«

Garda Treacy ging auf die Tür zu, und Larry machte Anstalten, ihm zu folgen.

»Es fällt mir bestimmt noch ein«, sagte Thomas.

»Wir suchen nach einem vermissten Jugendlichen«, erklärte Larry. Er zeigte Thomas das Foto. »Haben Sie ihn vielleicht am Samstagabend gesehen?«

»Ich kenne den Jungen gut«, sagte Thomas, »aber ich kann mich nicht erinnern, ihn am Samstag gesehen zu haben.«

»Wenn Ihnen noch etwas einfällt, rufen Sie an«, sagte Larry und floh.

Der Tag verging für die Polizisten ebenso schnell wie für den Rest der Bevölkerung. Dennoch war Larry am Ende müde und die Füße taten ihm weh. Er wollte nur noch nach Hause.

»Was denkst du?«, sagte Treacy, als sie die Polizeiwache verließen.

»Worüber?«, fragte Larry.

»Na, über den Jungen. Ich glaube, der macht sich irgendwo einen schönen Lenz.«

»Vermutlich«, meinte Larry.

»Die kümmern sich einen Dreck, diese jungen Kerle heutzutage, dass sich ihre Eltern Sorgen machen und wir unsere Zeit vergeuden, auf Kosten der Allgemeinheit.«

»Was willst du machen?«, sagte Larry.

IT'LL COME TO ME
Kate Thompson
5
9
13

5

In eurer weit entfernten Vergangenheit«, sagte Aengus, »bewegten sich die Menschen frei zwischen den beiden Welten hin und her.«

Sie saßen am Straßenrand und Aengus kämpfte mit der Plastikverpackung eines frischen Päckchens Pfeifentabak.

»Dann gab es diese gewaltige Schlacht zwischen euren und unseren Leuten.«

»Wer sind eure Leute?«, fragte JJ.

»Damals nanntet ihr uns ›Danus Volk‹ oder ›Tuatha de Danaan‹. Erst viel später habt ihr angefangen, uns als Feen zu bezeichnen.«

»Ihr seid also Feen?«

»Wir sind Leute«, sagte Aengus, »aber ihr könnt uns nennen, wie ihr wollt. Es gibt so recht keine Institution, die dagegen protestieren würde.« Er gab seiner Stimme einen polternden Ton: *»Ui, du da. Wer wagt es, uns Feen zu nennen?«*

JJ lachte. Aengus kämpfte noch immer mit dem Plastik; zwei linke Hände. »Jedenfalls hatten wir Zauberkraft auf unserer Seite …«

»Magie?«

»Nur ein wenig. Aber eure Seite war stärker und … na ja … um ehrlich zu sein, sie hatten bessere Anführer als wir. Wir hatten eigentlich keine rechte Vorstellung von dem, was wir da taten. In eurer Welt waren wir nie besonders erfolgreich.« Es gelang ihm endlich, das Plastik abzukriegen, und nun begann er, an der inneren Folienverpackung herumzufummeln. »Aus irgendeinem mir unerfindlichen Grund scheint die Zahl der Menschen, die wir in Schweine verwandeln können, begrenzt zu sein.«

»Schweine?«

»Innerhalb eines bestimmten Zeitraumes, meine ich«, erklärte Aengus. »Ein oder zwei gleichzeitig scheint das Höchste zu sein, was wir schaffen. Bei Armeen funktioniert es also nicht.«

»Du nimmst mich auf den Arm«, sagte JJ, obwohl er, noch während er das sagte, an Devaney und seine Trommel denken musste, was ihn verunsicherte. »Ihr könnt nicht wirklich Leute in Schweine verwandeln, oder?«

»Kein Problem«, sagte Aengus. »Oder in alles andere, wenn du willst.« Er stopfte eine kleine Tonpfeife mit Tabak und zündete sie mit einem lilafarbenen Feuerzeug an, dann fuhr er fort: »In einigen von euren Märchenbüchern wird der Eindruck erweckt, wir hätten den Krieg verloren, aber das stimmt nicht. Na ja, vielleicht stimmt es teilweise. Auf jeden Fall gab es eine Vereinbarung. Wir durften wieder nach Tír na nÓg zurückkehren, unter der Voraussetzung, dass wir hier blieben und nie mehr in eure Welt zurückkehrten.«

»Das begreife ich nicht«, sagte JJ. »Warum hätten sich unsere Leute dafür entscheiden sollen, in unserer Welt zu bleiben und zu sterben, wenn sie ewige Jugend hätten haben können?«

»Sie haben dieser Welt nie wirklich getraut«, sagte Aengus und paffte wild an seiner Pfeife. »Und sie wollten Zeit. Sie wollten Vergangenheit und Zukunft haben. Sie wollten die

Möglichkeit, ihre Welt zu formen und Reichtum und Macht zu gewinnen. Das Christentum hatte sich gerade durchgesetzt, deswegen hatten sie nicht so große Angst vor dem Sterben, weil sie sich nun auf ein Leben nach dem Tod freuen konnten.«

»Gibt es denn ein Leben nach dem Tod?«, fragte JJ.

Aengus zuckte die Schultern. »Ich weiß es nicht«, sagte er. »Kann mir ja schließlich egal sein, oder?«

In JJs Kopf fielen nach und nach die Groschen. »Also«, begann er vorsichtig, »wenn es bei uns Leben und Sterben und das ganze Zeug gibt und bei euch nicht, bedeutet das, dass ihr … du weißt schon … unsterblich seid?«

»Nicht im Entferntesten«, sagte Aengus. »Ich bin so sterblich wie du. Der einzige Unterschied zwischen dir und mir ist der, dass du vergessen hast, wie du die Magie benutzt. Du könntest genauso sein wie ich. Die Welten sind verschieden, nicht wir. In eurer gibt es Zeit. In unserer nicht.« Er schaute zum Himmel empor. »Jedenfalls war es einmal so. Bis das Leck kam.«

JJ versuchte, das alles zu sortieren. Es war eine ganze Menge für einen Jugendlichen, selbst für einen begabten, das zu kapieren. »Du willst also sagen, dass es ein Leck gibt, aus dem die Zeit aus unserer Welt in eure läuft?«

»Ganz genau«, sagte Aengus.

»Und deswegen haben wir nie genug davon.«

»Bingo.«

»Und ihr habt zu viel.«

»Viel zu viel.«

»Meine Güte«, sagte JJ. »Wir müssen etwas unternehmen. Wo ist das Leck?«

»Da steckt das Problem«, sagte Aengus. »Wir haben keine Ahnung.«

The Fairy Hornpipe
Trad
5
9
14

6

JJ war voller Energie. Das angenehm träge Gefühl, das er seit seinem Ausstieg aus der unterirdischen Kammer genossen hatte, war verschwunden. Ebenso das benebelte Denken, das damit einhergegangen war. Der ganze Unfug, den er die ganze Zeit gehört hatte, erschien ihm plötzlich ganz klar, wie ein unscharfes Bild, das richtig eingestellt worden war.

»Okay«, sagte JJ. »Über tausende von Jahren – unsere Jahre, meine ich – waren die beiden Welten vollständig voneinander getrennt.«

»Durch die Zeithülle«, sagte Aengus. »Die flüssige Wand zwischen den beiden Welten.«

»Und jetzt«, sagte JJ, »ist da plötzlich ein Leck.«

»Wir haben alle möglichen Stellen auf beiden Seiten kontrolliert«, sagte Aengus. »Ein paar von uns waren drüben in eurer Welt, und es sind noch ein oder zwei da, wie Anne Korff zum Beispiel, die drüben suchen. Das Problem ist, dass es nicht so viele Stellen mit beidseitiger Öffnung gibt. Die meisten Erdkammern sind auf der einen oder anderen Seite versperrt.«

»Was meinst du mit beidseitiger Öffnung?«, fragte JJ.

»Ihr braucht die Erdkammern, wir nicht«, sagte Aengus. »Wir können so ziemlich überall durchgehen.« Er deutete mit dem Daumen auf den Alchemieladen hinter ihnen. »Ich könnte da durchgehen, wenn ich wollte, und würde in Séadna Tobíns Laden herauskommen. Das wäre keine besonders schlaue Idee, aber es wäre möglich.«

»Wie?«

»Ich weiß es nicht«, sagte Aengus. »Wir können es einfach von Natur aus. So wie Atmen.«

»Geht ihr denn oft hinüber?«

»Normalerweise nicht. Als die Sonne noch da war, wo sie hingehört, sind wir nur ab und zu mal einfach so aus Jux rübergegangen. Oder wenn es nötig war.«

JJ dachte darüber nach. »Die Zeithülle muss also überall sein.«

»So ist es«, sagte Aengus. »Es gibt ein paar wenige Stellen, wo sie geschlossen werden musste, aber sie ist fast überall.«

»Irgendetwas muss sie also beschädigt haben«, sagte JJ.

»Es scheint so«, sagte Aengus, »aber ich verstehe nicht, wie das sein kann. Du hast ja gesehen, wie die Hülle funktioniert. Während des Krieges haben ein paar von euren Leuten versucht, sie zu zerstören. Ich habe gesehen, wie sie mit Schwertern und Äxten draufgehauen haben. Ebenso gut hätten sie versuchen können, ein Loch ins Meer zu schlagen.«

»Aber jetzt gibt es ein Leck«, entgegnete JJ. »Hat es schon jemals zuvor ein Leck gegeben?«

»Bei uns hat es bislang kein ›zuvor‹ gegeben«, sagte Aengus. »Es gibt natürlich andere Arten von Lecks. Aber die sind harmlos.«

»Was für andere Arten von Lecks?«, fragte JJ.

»Na ja, die Musik zum Beispiel. Die leckt doch überall hindurch.«

»Könnte die Zeit mit ihr zusammen hindurchgelangen?«

»Das war nie der Fall«, sagte Aengus. »Ich wüsste nicht, warum es auf einmal so sein sollte.«

»Vielleicht sollten wir das trotzdem überprüfen«, meinte JJ.

»Wenn du willst«, sagte Aengus. »Du kannst es ja mal bei *Winkles* probieren.«

Sie standen auf und machten sich auf den Weg die Straße hinunter. Bran, der sich während ihrer Unterhaltung neben JJ gelegt hatte, rappelte sich mühsam auf und folgte ihnen.

Als sie den Dorfplatz erreichten, drückte Aengus JJ seinen Geigenkasten in die Hand. »Nimm die und geh da runter. Ich leihe mir eine andere und komme dann nach.«

»Aber wir spielen nicht«, sagte JJ. »Lektion Nummer zwei im Sich-Sorgen: keine Musik.«

»Und wie willst du ein Musikleck kontrollieren ohne Musik?«, fragte Aengus.

JJ musste ihm Recht geben und nahm das Instrument. Als Aengus die Straße überquerte und auf das Haus der Müden Maggie zuging, lief Bran ihm nicht hinterher. Er blieb bei JJ und folgte ihm unter Schmerzen, Schritt für Schritt, die ganze Straße entlang bis zu *Winkles' Pub*.

Die Gaststube war so düster, dass JJ eine Weile in der Tür stehen bleiben musste, bis sich seine Augen daran gewöhnt hatten. Danach bemerkte er, dass Jennie und Marcus bereits da waren und in der Ecke zwischen der Tür und dem Kamin saßen. Auch Devaney war da, vorne an der Bar.

»Willkommen zurück«, sagte er zu JJ.

»Setz dich zu uns«, sagte Jennie. »Wir überlegen gerade, ob wir was spielen sollen.«

Es war das erste Gebäude in Tír na nÓg, in das JJ hineingegangen war, und es erschien von innen sogar noch natürlicher als von außen. Die Tische und Stühle waren wie zufällig aus ganzen Ästen zusammengebaut, an einigen hingen sogar noch die Blätter.

»Habt ihr sie irgendwo gesehen?«, fragte Devaney.

»Wen?«

»Seine Ziege«, sagte Marcus. »Ohne die können wir nicht spielen.«

JJ schüttelte den Kopf und setzte sich auf einen Hocker. Er war überrascht, dass dieser sich deutlich stabiler anfühlte, als er aussah. Er war tatsächlich so stabil, dass er sich nicht von der Stelle rücken ließ, als JJ versuchte, ihn etwas näher an den Tisch heranzuziehen. Er schaute zwischen seinen Füßen hinunter und sah, dass die Beine des Hockers ebenso wie die des Tisches im fest getrampelten Lehmboden verschwanden. Alle Möbel mitsamt der Bar waren fest angewachsen.

Devaney kletterte von seinem Barhocker und ging zur Tür. »Ich geh sie mal suchen«, sagte er und verschwand nach draußen.

»Wenn ich mich nicht täusche«, sagte Marcus, »gehört dieser Geigenkasten Aengus Óg.«

»Aengus Óg?«, fragte JJ. »Ist er das wirklich?«

»Wer sollte er sonst sein?«, erwiderte Jennie.

Die anderen, einschließlich der Bedienung an der Bar, lachten.

»Aber ich dachte immer, Aengus Óg wäre ein Gott«, sagte JJ.

»Lass ihn das bloß nicht hören«, sagte Marcus. »Er ist ohnehin schon eingebildet genug.«

»Er ist also kein Gott?«, fragte JJ.

»Nicht mehr als jeder von uns«, sagte Jennie.

»Wenn du nach Göttern suchst, dann bist du hier am falschen Ort«, sagte Marcus.

Die Bedienung kam mit einem Weinglas für Jennie, das mit

einer bernsteinfarbenen Flüssigkeit gefüllt war, und etwas in einer gelben Flasche, die sie vor Marcus hinstellte.

»Und was darf's für JJ sein?«, fragte Marcus.

»Was hätte JJ gerne?«, fragte die Bedienung.

»Cola?«, sagte JJ.

Das Mädchen kramte in den Flaschenreihen hinter der Bar herum und holte eine herunter. Es war die altmodische, etwas klobige Flaschenform, und JJ fragte sich, wie lange sie wohl schon da gestanden hatte. Aber als beim Öffnen ein zufrieden stellendes Zischen zu hören war, fiel ihm wieder ein, dass es bis vor ein paar Stunden überhaupt keine Zeit in Tír na nÓg gegeben hatte.

Irgendetwas nagte an ihm und gab ihm ein Gefühl des Unwohlseins. Es hatte etwas mit der Flasche und ihrem Alter und der Frische ihres Inhaltes zu tun. Aber Jennie lachte und zeigte auf die Tür, und was er dort sah, ließ ihn alles vergessen, was immer es war, das ihn beunruhigt hatte.

Die Ziege stand in der Tür und schaute zu ihnen herein.

»Eigentlich mag sie die Musik«, sagte Marcus. »Aber Devaney an der Nase herumzuführen, findet sie einfach noch witziger.«

»Sollten wir sie einfangen?«, fragte JJ.

»Nee«, meinte Marcus. »Wir wollen doch Devaney nicht den Spaß verderben.«

Die Bedienung kam mit der Cola herüber.

»Was macht das?«, fragte JJ, bevor ihm wieder einfiel, dass man hier ja kein Geld verwendete.

»Musikanten zahlen nichts«, sagte das Mädchen.

Da aber außer Musikanten sonst keiner da war, hatte JJ den Verdacht, Aengus könnte nicht der Einzige in Tír na nÓg sein, der das Prinzip der Gewinnmaximierung nicht ganz verstanden hatte.

»Was ist in der gelben Flasche?«, fragte JJ.

»Ich weiß es nicht«, sagte Marcus, »aber es funktioniert. Kennst du das Stück *The Yellow Bottle*?«

»Ich kenne ein Stück, das *The Yellow Wattle* heißt«, sagte JJ.

»Das ist es«, sagte Marcus. »Manchmal werden die Namen ein bisschen verdreht auf dem Weg zu euch rüber.«

»Manchmal kommen sie auch gar nicht mit rüber«, sagte Jennie. »Deswegen gibt es so viele Stücke, die gar keine Namen haben oder nach demjenigen benannt werden, der sie zuerst gespielt hat.«

»Oder nach den Leuten, die glauben, sie hätten sie komponiert«, sagte Marcus.

Aengus kam mit der geliehenen Geige. Er klatschte in die Hände und rieb sie kräftig. »Die gelbe Flasche sieht aus wie das Getränk des Tages«, meinte er leichthin.

»Moment mal«, unterbrach JJ. »Lektion Nummer drei im Sich-Sorgen: kein Alkohol.«

Ein ärgerliches Blitzen erschien in Aengus' leuchtend grünen Augen. JJ rutschte das Herz in die Hose, und er hatte einen Augenblick Angst, wie Aengus nun reagieren würde. Aber er wurde von einem Aufruhr draußen auf der Straße gerettet; ein plötzlicher Ausbruch von Meckern und Blöken, gefolgt von einem hohl klingenden Schlag. Dann kam Devaney mit der Bodhrán durch die Tür.

Alle jubelten ihm zu. Devaney gesellte sich zu der Gruppe in der Ecke und Aengus öffnete Maggies Geigenkasten. Es gab keinerlei Anzeichen mehr, dass er ärgerlich auf JJ war.

»Na, dann wollen wir das Leck mal suchen, oder?«, sagte er.

THE YELLOW WATTLE
Trad
5
9
13

7

An diesem Abend wurde in keinem Pub Musik gespielt, weder im *Winkles* noch im *Green's* und auch nicht im *Auld Plaid Shawl* oder irgendeinem anderen Pub von Kinvara. JJ Liddy war jung, aber er war einer von ihnen. Solange er vermisst wurde, würde man hier am Ort keine Livemusik hören.

Am Dienstagabend bekam Anne Korff Besuch von Sergeant Early. Sie erzählte ihm ihre Geschichte, zeigte ihm den platten Reifen am Fahrrad und gab ungeheurer Zerknirschung Ausdruck, dass sie nicht darauf bestanden hatte, JJ mit dem Auto zu fahren. Sergeant Early beruhigte sie, sie habe nichts falsch gemacht, und bestand darauf, dass sie sich nichts habe zuschulden kommen lassen.

Aber JJs Eltern, ihre Nachbarn und der halbe Ort waren draußen und durchkämmten die Straßen und die Küste und Anne Korff gab sich die Schuld. Es war ein Fehler gewesen, den Jungen mit einem so hoffnungslosen Unterfangen zu betrauen. Es wurde höchste Zeit, dass sie ihn zurückholte.

Es war schwer, sich weiterzusorgen, während die Feenmusik spielte, selbst für JJ, der ein Meister in dieser Kunst war. Sobald die Melodien den Raum erfüllten, vergaß er alle Lecks, seien es musikalische oder andere, und genoss einfach nur den Augenblick.

Nach und nach füllte sich der Pub. Einige tanzten, einige hörten und sahen zu, manche gaben witzige Geschichten zum Besten oder sangen Lieder, die so traurig waren, dass am Ende kein Auge trocken blieb.

Aengus trank, unter ständigem und lautem Protest, während der gesamten Session keinen Alkohol. Ihm zu Ehren spielten die Musiker *The Teetotaller's Reel* gleich bei drei verschiedenen Gelegenheiten und hätten es womöglich noch ein weiteres Mal gespielt, hätte Aengus nicht empfindlich reagiert und gedroht, sie alle in etwas »Nachtdunkles und Schleimiges« zu verwandeln.

JJ lernte bei dieser Session mehr, als er jemals für möglich gehalten hätte. Mindestens die Hälfte der Stücke, die gespielt wurden, hatte er noch nie zuvor gehört, und er musste sich voll konzentrieren, um beim Spielen mitzukommen. Manchmal, wenn er etwas hörte, was ihm besonders gefiel, bat er Aengus oder einen der anderen, die besonders verzwickten Stellen noch einmal mit ihm durchzugehen. Er erwartete dabei gar nicht, sie auch nur annähernd perfekt zu spielen, aber er wusste, dass er in der Lage sein würde mitzuspielen, wenn sie in einer Session aufkamen. Die Namen der Stücke vergaß er, sobald er sie gehört hatte.

Und er lernte noch mehr. Nachdem er bei einer Reihe von Stücken mitgespielt hatte, spielte er, wie Aengus wohlwollend bemerkte, wie einer von ihnen. Die Rhythmen und feinen Intonationen der Feen schienen ihm im Blut zu liegen. Er hatte sich noch nie so wohl gefühlt mit einer Geige unter dem Kinn. Es war, als hätte er hierfür sein ganzes Leben lang geübt.

Aber was JJ an diesem Nachmittag nicht erlebte, war ein musikalisches Leck. Die anderen beschrieben ihm, wie es normalerweise vor sich ging; dass man in den Pausen zwischen den Stücken ganz leise andere Instrumente hören konnte und dass zuweilen, vorausgesetzt das Leck war groß genug, die beiden Gruppen von Musikern, jede in ihrer Welt, in die Stücke der anderen mit einsteigen konnten und es auf diese Weise eine einzige große Session gab. JJ hätte es zu gerne gehört, aber es geschah nicht. So angestrengt er auch lauschte, er konnte keine Töne hören, die durch eine undichte Stelle in der Zeithülle kamen.

»Das ist sehr ungewöhnlich«, bemerkte Marcus. »Vor allem hier. Normalerweise ist hier eine äußerst durchlässige Stelle.«

»Die allerdurchlässigste überhaupt«, sagte Jennie.

Aengus ging nach draußen, um sich ein wenig die Beine zu vertreten und um nachzusehen, ob in einem der anderen Pubs etwas von drüben zu hören war. Auf der Straße traf er Anne Korff, die draußen stand und mit Bran redete.

»Und wie geht's dir so, Lucy?«, fragte er.

Anne lachte. »Es könnte, ehrlich gesagt, besser sein«, meinte sie.

»Das freut mich zu hören«, sagte Aengus. »Kommst du auf ein Bierchen mit rein?«

»Nein, ich wollte nur mal kurz reinschauen. Ich bin nämlich auf der Suche nach jemandem.«

»Ach. Ist es jemand, den ich kenne?«

»Ein junger Mann von unserer Seite. JJ Liddy. Ich hab eine Dummheit begangen. Er wollte Zeit kaufen, und ich habe ihn hierher geschickt, um zu sehen, ob er etwas herausfinden kann. Jetzt sind seine armen Eltern ganz verrückt vor Sorge und suchen ihn überall.«

»Die Armen«, sagte Aengus. »Aber du hast Glück. Er ist nicht weit weg.«

»Nein? Hast du ihn gesehen?«

»Ja«, sagte Aengus. »Er hat versucht, mir zehn Euro für unsere Zeit zu geben. Ich hab ihm gesagt, wenn er das Leck findet, kriegt er sie umsonst. Also hat er sich auf die Suche gemacht.«

»In welche Richtung ist er gegangen?«

Aengus zeigte zur Straße nach Galway hinüber, die aus dem Dorf hinaus in Richtung Burg verlief. »Er war zu den Kieswegen unterwegs, als ich ihn zuletzt gesehen habe.«

»Dann werde ich ihn da draußen finden«, sagte Anne. »Danke, Aengus.«

»Keine Ursache.« Aengus blickte Anne hinterher, bis sie die Hauptstraße hinunter verschwunden war, dann ging er selbst weiter.

Es kam JJ vor, als würden sie schon seit Stunden so spielen, aber da seine Uhr gar nicht oder nur nach einem völlig verrückten eigenen Zeitplan funktionierte, konnte er nicht sagen, wie lange es wirklich ging. Immer wenn jemand hinein- oder hinaustrat, fiel strahlender Sonnenschein durch die Tür. Aber es gab ja, beruhigte er sich immer wieder, mehr als genug Zeit.

Aengus kam und ging zwei- oder dreimal während der Session, und zwischendrin hatte JJ den Verdacht, als würde er rasch mal zu *Keogh's* oder *Tully's* hinüberschauen, um sich dort ein Schlückchen von etwas Gehaltvollerem zu genehmigen. Aber selbst wenn das der Fall war, so war es ihm keineswegs anzumerken. Und auch sein Fiddlespiel, das besonders lehrreich für JJ war, zeigte keine schlechten Nebenwirkungen dieser Ausflüge.

Es war schließlich Aengus, der das Ende der Session verkündete, indem er die geliehene Geige in ihren Kasten zurücklegte. JJ folgte seinem Beispiel.

»Du kannst ruhig noch in Ruhe austrinken«, sagte Aengus. »Ich bring die Geige schnell zu Maggie zurück und hol dich dann ab. Dann können wir überlegen, was als Nächstes zu tun ist.«

The Gravel Walks
Trad

8

JJ setzte sich auf den Fußweg neben Bran und lehnte sich gegen die Mauer. Neben dem verletzten Bein bemerkte er eine kleine Blutlache auf dem Boden. Bran drückte sich an ihn und legte den Kopf in seinen Schoß. Der Hund gab keinen Laut von sich, aber er rutschte unruhig hin und her und fand keine bequeme Stellung. Von Zeit zu Zeit lief ein kräftiges Zittern durch seinen ganzen Körper. JJ kraulte ihm die Ohren und versuchte, nicht auf die grässliche Wunde zu achten.

Das warme Sonnenlicht machte ihn schläfrig. Er gab diesem Gefühl nach und ließ die schweren Augenlider sinken. Die Helligkeit der Sonne nahm er nun von innen rot wahr.

Aber etwas stimmte nicht.

Er schlug die Augen wieder auf. Während der ganzen langen Session im Pub hatte sich die Sonne kaum von der Stelle bewegt. Instinktiv schaute er auf die Uhr. 18.10 Uhr. Er hielt sie ans Ohr. Tick… Stille… Tick.

Jetzt wurde ihm klar, dass mit der Uhr eigentlich alles in Ordnung war. Er war mit dem Beginn der Zeit in Tír na nÓg angekommen. Die Zeit hatte hier noch nicht wirklich Fuß gefasst und hatte die unberührte Stille der Unendlichkeit noch kaum gestört. Er erwartete nicht, dass er jemals wirklich verstehen würde, was hier vorging, aber er bekam langsam eine

Ahnung davon, wie es funktionieren könnte, wie eine Kraft, die langsam an Schwung gewinnt. Er hielt es für wahrscheinlich, dass nur eine winzige Menge Zeit nach Tír na nÓg hinüberströmte. Aber selbst dieser winzige Verlust war mehr, als seine eigene Welt verkraften konnte.

Wenigstens bedeutete das, dass er wahrscheinlich noch rechtzeitig zum Céilí wieder zu Hause war. Oder doch nicht? Das unbehagliche Gefühl stellte sich wieder ein. Stimmte das? War es auch zu Hause erst 18.10 Uhr? Oder verging die Zeit dort schneller? Noch ein Groschen kippelte auf der Kante, bereit zu fallen, aber JJ wurde vom plötzlichen Auftauchen der Ziege abgelenkt. Sie sprang zur Tür hinaus, warf JJ noch einen zutiefst verächtlichen Blick zu und galoppierte dann in Richtung Hauptstraße davon.

Bran seufzte und drehte den Kopf, um seine Wunde zu lecken. JJ wandte den Blick ab. Maggie kam mit ihrem Geigenkasten aus der Tür ihres Hauses. Sie winkte ihm zu und ging dann zum Kai hinunter. Die Ziege schaute die Straße hinauf und hinab und folgte ihr schließlich. Noch mehr Leute bewegten sich langsam in dieselbe Richtung, und JJ überlegte, ob es dort wohl gleich wieder Tanzmusik geben würde. Er bemerkte, dass der eine oder andere beim Gehen einen Blick zum Himmel warf, aber davon abgesehen, konnte er keinerlei Anzeichen von Beunruhigung im Dorf feststellen. Wie konnten sie nur ans Tanzen denken? Warum waren nicht alle unterwegs, um nach dem Leck zu suchen? Vielleicht war es, wie Aengus und die anderen Musiker gesagt hatten, hier einfach nicht so schlimm, dass es sich lohnte, sich darüber den Kopf zu zerbrechen. Vielleicht war ihnen nicht klar, wie schlimm es drüben auf der anderen Seite stand? Oder es war ihnen egal.

In seiner Vorstellung erschien ein tristes Bild: Der Planet

drehte sich wild wie ein Tennisball, während seine Bewohner hektisch umherrasten und versuchten, ihre Leben in die ständig kleiner werdenden Zeitspannen zu quetschen. Das Problem war, dass keiner wusste, wo man zuerst suchen sollte. Selbst wenn man direkt auf dem Leck stand, wie sollte man es bemerken? Man konnte die Zeit ja nicht sehen oder hören oder schmecken.

Devaney und die anderen kamen aus dem Pub geschlendert.

»Kommst du mit runter zum Kai?«, fragte Jennie.

»Meint ihr nicht, dass es besser wäre, nach dem Leck zu suchen?«, fragte JJ.

Alle schauten zum Himmel hinauf, dann in die Runde, dann wieder zurück zu JJ.

»Ah, hier kommt Aengus«, sagte Marcus, und Erleichterung klang in seiner Stimme.

Aengus bog eben um die Straßenecke und kam auf sie zu. Die anderen grüßten ihn rasch und machten sich dann auf den Weg zu ihrem Tanz.

»Bist du sicher, dass du nicht lieber mitgehen willst?«, fragte Aengus.

»Lektion Nummer vier«, sagte JJ. »Kein Tanz.«

Aengus schloss die Augen, und JJ fragte sich, ob er vielleicht wieder einen kleinen Wutanfall verbarg. Aber als Aengus die Augen wieder öffnete, war er so munter wie immer. »Und wie sieht unser Plan jetzt aus?«, fragte er.

»Ich weiß es nicht«, sagte JJ. »Ich hatte gehofft, du hättest vielleicht einen.«

»Eigentlich nicht«, meinte Aengus. Er dachte einen Augenblick nach und fuhr dann fort: »Du bist doch ein Bauernkind, oder?«

»Das könnte man sagen.«

»Du musst doch eine ganze Menge Zeit auf den Hügeln und Feldern zugebracht haben.«

»Das habe ich. Warum?«

»Bist du da nie auf irgendeine undichte Stelle gestoßen?«

»Ich glaube nicht«, sagte JJ. »Ich habe jedenfalls nie Musik gehört.«

»Und sonst?«, fragte Aengus. »Hast du nie etwas gesehen, was nicht dorthin gehörte, oder Leute reden gehört?«

»Nein«, sagte JJ. Aber in diesem Moment holte Aengus seinen Tabak heraus, und das erinnerte JJ an eine Begebenheit, als er in dem Haselnusswäldchen oberhalb des Hofes nach einer vermissten Ziege gesucht hatte. »Ich habe tatsächlich einmal Tabak gerochen. Und außer mir war keiner da.«

»Das ist genau das, wonach wir suchen«, sagte Aengus. »Wo war das?«

JJ erzählte es ihm.

»Da gehen wir jetzt hin«, sagte Aengus.

FREE AND EASY
Trad
5
9
3
13
3

9

Es war ein weiter Weg zum Eagle's Rock hinauf, an dessen Fuß das Wäldchen lag, wo JJ in seiner Welt damals Tabakrauch gerochen hatte. JJ fürchtete sich vor dem Weg, insbesondere als er bemerkte, dass Bran trotz aller Versuche von Aengus, ihn daran zu hindern, entschlossen war, ihnen zu folgen. Aber nachdem sie erst einmal auf der Straße waren, die die Ebene zwischen den Bergen durchschnitt, vergaß JJ die Anstrengungen. Die Sonne schien warm und hell, und das üppige Grün der Wiesen und Felder war so unberührt, dass JJ zum ersten Mal bewusst wurde, wie müde und abgenutzt seine eigene Welt zunehmend wurde. Ohne die Socken hätte alles perfekt gewirkt. Im Dorf waren es nur wenige gewesen, aber hier auf der Straße schienen es sogar noch mehr zu sein, als er auf dem Hinweg von Doorus aus bemerkt hatte. Er wollte Aengus danach fragen, aber es gab Wichtigeres.

»Was ich noch immer nicht verstehe, ist die Sache mit der Unsterblichkeit«, sagte er. »Wenn ihr ewig lebt, dann müsst ihr doch unsterblich sein.«

»Nein«, sagte Aengus. »Wenn wir in eurer Welt wären und ein Bus käme um diese Ecke hier gerast, dann könnte der mich ebenso leicht töten wie dich.« Er schauderte. »Ich hasse Busse«, sagte er.

»Ich auch«, sagte JJ. »Vor allem in der letzten Zeit. Sie kommen immer zu spät.«

»Wundert mich nicht«, meinte Aengus. »Aber für das Missverständnis mit der Unsterblichkeit gibt es eine gute Erklärung. Wir gehen nicht mehr so oft rüber zu euch wie früher. Zumindest nicht«, er fuhr mit beiden Armen durch die Luft, »bis diese Geschichte hier anfing. Aber es gab Zeiten in eurer Geschichte, da sind wir unbeschwerter hin- und hergegangen. Die Sache ist die, dass man drüben jemanden kennen lernt und wieder nach Hause geht, und wenn man dann wieder rübergeht und denjenigen zufällig wieder trifft, dann sind in eurer Welt dreißig oder vierzig Jahre vergangen.«

Diese Erklärung rief bei JJ wieder ein Gefühl des Unbehagens hervor, aber er war zu neugierig auf zu viele Dinge, um dem irgendeine Beachtung zu schenken. »Ich dachte, ihr dürftet nicht rübergehen«, sagte er. »Ich dachte, es gäbe eine Vereinbarung.«

»Wir haben geschummelt«, sagte Aengus. »Uns blieb nichts anderes übrig.«

»Warum?«

»Wegen unserer Kinder. Wenn wir uns fortpflanzen wollen, und das tun die meisten, weißt du, dann brauchen wir eure Welt dazu.« Aengus hatte Schwierigkeiten, seine Pfeife am Brennen zu halten, und hielt kurz inne, um kräftig daran zu ziehen, dann fuhr er fort: »Wir lieben diese Welt. Jeder, der sie sieht, tut das. Aber sie hat auch ihre Nachteile. Leben ohne Zeit ist perfekt, wenn du mal mein Alter erreicht hast, aber es ist nicht sehr sinnvoll, wenn du noch ein bisschen erwachsen werden willst.«

»Ich verstehe«, sagte JJ. »Ohne Zeit wird man auch nicht älter.«

»Du hast's erfasst«, sagte Aengus. »Schwangerschaften brauchen Zeit und Geburten ebenso, aber vor allem brauchen Babys Zeit zum Größerwerden.«

»Ihr müsst also nach drüben gehen, um dort zu leben, wenn ihr Kinder haben wollt.«

»Nicht wirklich«, sagte Aengus. »Wir könnten das theoretisch, aber wer will schon fünfzehn oder zwanzig Jahre älter werden, wenn es nicht sein muss?«

»Und wie macht ihr es dann?«, fragte JJ.

»Hast du schon mal was von Wechselbälgern gehört?«

JJ nickte. Das Wort ließ ihn erschauern.

»Was weißt du darüber?«, fragte Aengus.

»Dass die F… dass die Feen früher den Leuten Babys weggenommen haben und stattdessen eines von ihren Kindern zurückgelassen haben.«

»Und du dachtest immer, diese Geschichten wären nicht wahr, oder?«, sagte Aengus.

»Natürlich nicht«, sagte JJ. In der Grundschule hatten sie im Rahmen eines großen Projektes Bräuche und Geschichten von den alten Leuten im Dorf und den umliegenden Höfen zusammengetragen. Darunter waren auch jede Menge Feenmärchen gewesen, in denen Wechselbälger vorkamen. Es war ihm nie in den Sinn gekommen, dass mehr dahinter stecken könnte als Fantasie. Er konnte es noch immer nicht glauben. Schon das Wort »Feen« stand dem im Wege.

»Aber es ist wahr«, sagte Aengus. »Heutzutage ist es natürlich nicht mehr so einfach, mit Krankenhausgeburten und Alarmanlagen und Babyphones und diesem ganzen Firlefanz. Aber das eine oder andere können wir doch noch unterbringen.«

»Und sehen sie nicht anders aus?«, fragte JJ. »In den Geschichten, die ich gehört habe, waren die Babys alle hässliche kleine Würmer.«

»Jeder findet sein eigenes Baby süß und die fremden hässlich«, sagte Aengus. »Aber was sollen die Leute letztendlich machen? Wer würde ihnen glauben, wenn sie deswegen einen Aufstand machten? Und unterm Strich bleibt ein Baby ein Baby. Und das Leben geht einfach weiter.«

JJ zögerte, bevor er die nächste Frage stellte. Er fürchtete sich vor der möglichen Antwort. »Und was macht ihr mit den Babys, die ihr wegnehmt?«

»Das ist nicht so schwer«, sagte Aengus. »Wir legen sie in ein Körbchen und bringen sie in eine andere Gegend und legen sie dann bei irgendjemandem vor die Tür.«

»Aber das ist doch unsinnig«, meinte JJ. »Warum spart ihr euch nicht die Mühe und legt eure eigenen Babys einfach vor eine Tür?«

»Wir sind einfach wählerisch. Wir suchen uns die Pflegefamilien sorgfältig aus. Schließlich wollen wir unsere Kinder nicht einfach irgendjemandem überlassen, verstehst du?«

»Aber was mit den anderen Kindern passiert, kümmert euch nicht, oder?«, meinte JJ bissig.

»Das Kümmern liegt uns ebenso wenig wie das Sich-Sorgen«, sagte Aengus. »Wir haben darin einfach keine Übung.«

Aber um Bran schien er sich jetzt doch zu kümmern, jedenfalls blieb er ungefähr alle hundert Meter stehen, damit der Hund Schritt halten konnte. So auch jetzt, und während sie warteten, untersuchte er eine dunkelgrüne Socke näher, die neben anderen in einem nahe gelegenen Busch hing. »Die ist gar nicht schlecht«, meinte er, nahm sie und hielt sie gegen die, die er trug. Und die waren, wie JJ bemerkte, nicht nur kein Paar, sondern hatten auch noch unterschiedliche Farben.

»Was meinst du?«, fragte Aengus.

»Sie passt zu keinem von beiden«, sagte JJ. »Was ist das überhaupt für eine Geschichte mit diesen ganzen Socken?«

»Ach«, sagte Aengus und hängte die Socke wieder an den Busch, bevor er eine andere probierte. »Das ist auch ein Leck. Das Socken-Leck.«

JJ lachte ungläubig. »Ein Socken-Leck?!«

»Was dachtest du denn?«, fragte Aengus ein wenig gereizt. »Dass wir rübergehen und euren Leuten all diese Socken klauen und sie dann hier überall verstreuen?«

»Na ja, nein«, sagte JJ, »aber …«

»Das liegt an den Waschmaschinen«, sagte Aengus. »Oder vielleicht an den Trocknern. Keiner weiß, warum.«

JJ dachte an den Kopfkissenbezug in der Waschküche zu Hause, der voll gestopft war mit einzelnen Socken. Manche davon warteten schon seit Jahren darauf, mit ihren verlorenen Gegenstücken vereint zu werden. Helen hatte einmal versucht, sie alle wegzuschmeißen, aber Ciaran hatte sie daran gehindert. Er meinte, wenn sie das täte, würden die anderen sicher gleich auftauchen, das sei das Gesetz des Zufalls.

»Warum lasst ihr sie einfach, wo sie sind?«, fragte JJ.

»Wer sollte sie denn einsammeln?«, sagte Aengus. »Außer denjenigen, denen der Sinn nach frischen Socken steht?« Wie um das zu demonstrieren, tauschte er selbst eine Socke aus und hüpfte dabei auf einem Fuß herum. »Außerdem«, fuhr er fort, »sind es nützliche Markierungen für uns.«

»Markierungen wofür?«, fragte JJ.

»Auf eurer Seite entstehen so viele neue Häuser, dass wir gar nicht mehr mitkommen. Es besteht also die Gefahr, dass einer von uns rübergeht und sich bei euch plötzlich mitten in einer Küche wiederfindet. Oder an einem schlimmeren Ort. Aber die Socken zeigen uns, wo Häuser stehen. Uns stören sie eigentlich überhaupt nicht.«

Bran war herangekommen und ließ sich auf die Straße fallen, aber er musste sich gleich wieder erheben, da Aengus und

JJ weitergingen. Es dauerte nicht lange, und sie kamen an die Stelle, wo die Moy Road die New Line kreuzte, und Aengus blieb dort ein Weilchen stehen, schaute sich um und horchte.

»Was suchst du?«, fragte JJ.

»Nichts Bestimmtes«, sagte Aengus. »Aber Kreuzungen sind oft undichte Stellen. Man weiß nie, was man da vielleicht findet.«

»Ist das der Grund, warum man früher auf den Kreuzungen getanzt hat?«, fragte JJ.

»Genau«, sagte Aengus. »So langsam kapierst du die Sache.«

Er ging voran, überquerte die New Line und ging dann den Berg hinauf, entlang der Straße, die zum Eagle's Rock führte. JJs Haus war ganz in der Nähe, ein Stück auf der rechten Seite. Die Auffahrt ging etwas weiter unten von der New Line ab, aber sie hätten einfach querfeldein gehen können und hätten nicht lange gebraucht. Er hätte gerne gesehen, wie der Hof hier in dieser Welt aussah, aber als er den Vorschlag machte, schüttelte Aengus den Kopf.

»Vielleicht können wir später auf diesem Weg zurückgehen«, sagte er. »Ich will jetzt keine Zeit verlieren.«

»Na, das nenne ich Fortschritt«, sagte JJ. »Vielleicht solltest du mir Lektionen im Sich-Sorgen erteilen.«

Die Straße vor ihnen verlief durch ein Dickicht von Haselnusssträuchern auf beiden Seiten, das, nach den Geräuschen zu urteilen, voller Spechte sitzen musste.

»Bei uns gibt es nicht so viele«, sagte JJ.

»So viele wovon?«, fragte Aengus.

»Spechte«, sagte JJ.

»Ist da ein Specht?«, sagte Aengus.

»Kannst du sie nicht hören?«, fragte JJ.

»Was ich höre, sind keine Spechte«, sagte Aengus. Er nahm den Geigenkasten von der Schulter und reichte ihn JJ. »Würdest du das mal eine Weile tragen? Ich muss nur rasch etwas erledigen.«

»Was denn erledigen?«, fragte JJ.

»Eine Angelegenheit«, sagte Aengus, aber seine Augen machten deutlich, dass JJ keine weiteren Fragen stellen sollte. »Bleib jetzt auf der Straße, verstanden? Geh auf gar keinen Fall in den Wald hinein.«

»Warum nicht?«

»Kobolde«, sagte Aengus. »Hier wimmelt es nur so davon.«

»Kobolde?«, sagte JJ, dem langsam klar wurde, dass die Geräusche, die er hörte, wohl doch nicht von Spechten stammten. »Was sollten die mir anhaben können?«

»Ach, ich weiß es nicht«, sagte Aengus ungeduldig. »Dich erschrecken oder so. Bleib einfach auf der Straße, okay? Wenn du die Taube auf dem Tor siehst, bleibst du stehen und wartest dort auf mich.«

»Woher weißt du, dass da eine Taube auf dem Tor sein wird?«, fragte JJ.

»Weil da…« Aengus zögerte. »Du hast Recht. Es ist jetzt alles anders, nicht wahr? Warte bei der Eiche auf mich. Ich denke, die wird sich nicht irgendwohin bewegt haben.«

Er verschwand zwischen den Bäumen. JJ war versucht, ihm zu folgen und selbst mehr über die Kobolde in Erfahrung zu bringen. Aber je mehr er darüber nachdachte, desto bedrohlicher klangen diese scharfen, kleinen, hämmernden Maschinengewehrsalven. Und wenn er irgendwie in Schwierigkeiten geriet, wären die Chancen, das Zeitleck zu finden, gleich null. Es war also besser, auf Nummer sicher zu gehen.

Er ging langsam, sodass Bran, dem der Hügel schwer zu schaffen machte, bei ihm bleiben konnte. Wenn es stimmte, was Aengus ihm über die Wechselbälger erzählt hatte, und zugegebenermaßen klang es absolut glaubwürdig, bedeutete das dann auch, dass die anderen alten Geschichten ebenfalls wahr waren? Tanzten die Feen nachts in den Ringforts? Hörten die Leute dort etwas durch undichte Stellen und schliefen ein und wachten dann auf, um festzustellen, dass sieben Jahre vergangen waren? Brachten Aengus und die anderen Unglück über die Menschen, die Steine aus den Forts entfernten oder ihre Häuser auf Wege bauten, die sie benutzten? Oder die ihnen keine Milch mehr rausstellten, wie sie es gewohnt waren?

Milch? JJ konnte sich nicht vorstellen, dass Aengus sich wegen eines Glases Milch aufregen würde. Er schaute zu Bran hinunter, der sich immer noch hinter ihm herschleppte. Wenn der Hund wirklich das war, was Aengus gesagt hatte, bedeutete das dann, dass auch Fionn hier war? Waren die bärtigen Krieger der Fianna mit ihren Breitschwertern in diesen grauen Hügeln unterwegs? JJ hatte all diese Geschichten in der Grundschule gelesen, aber er konnte sich jetzt an keine richtig erinnern, außer seiner Lieblingsgeschichte von Diarmud und Gráinne. Überall im Land gab es Plätze, die angeblich das gemeinsame Lager des Liebespaares gewesen waren. Sollte es möglich sein, dass die beiden noch da draußen waren, dazu verdammt, bis in alle Ewigkeit vor Fionns Zorn zu fliehen?

Pigeon on the Gate
Trad

10

Die Untersuchungen im Fall des vermissten Jugendlichen waren zum Stillstand gekommen. Alle ausgiebigen Befragungen und alle Suchaktionen hatten nichts ergeben. Und nun schien, sehr zur Beunruhigung der örtlichen Bevölkerung, auch noch Anne Korff verschwunden zu sein. Die Polizei weigerte sich nach einer anfänglichen Einschätzung der Lage, die beiden Fälle miteinander in Verbindung zu bringen. Anne Korffs Haus war von außen verschlossen und alles hatte seine Ordnung dort. Wo immer sie hingegangen war, sie hatte ihren Hund mitgenommen. Im Unterschied zu JJ Liddy war sie erwachsen, und wenn sie fortgehen wollte, ohne ihren Freunden Bescheid zu sagen, dann war das ihre Sache. Es gab keine Anhaltspunkte für ein Verbrechen und somit auch keinen Grund für eine weitere Untersuchung.

Die Dorfbewohner waren da allerdings anderer Ansicht. Sie hielten ihre Türen ständig verschlossen und kaum einer traute sich nachts alleine nach draußen. Die Pubs waren ruhig und schlossen pünktlich. Die Jugendlichen im Ort waren niedergedrückt, und keiner hatte Lust, sich auf den Straßen herumzutreiben oder auf der Rückseite der Grundschule heimlich Bierchen zu kippen. Es gab also im Dorf absolut nichts zu tun für einen Polizisten, und doch war es unumgänglich, dass einer dort Präsenz zeigte. Das war ein Job für den Neuen.

Larry O'Dwyer ging langsam, doch, wie er hoffte, mit der Würde seines Amtes die Hauptstraße von Kinvara auf und ab. Jeder, der vorbeikam, blieb stehen und fragte ihn nach den neuesten Erkenntnissen und gab seine Theorie über die vermissten Personen ab. Das, da war sich Larry fast sicher, war nicht der Grund, warum er Polizist geworden war, aber es gelang ihm, höflich und respektvoll zu bleiben. Nur einer stellte seine Geduld auf eine harte Probe und das war Thomas O'Neill.

Auch er stellte zunächst die üblichen Fragen und fuhr dann fort, Larry eine Version der allgemein verbreiteten Theorien zu erläutern. Aber beim Reden nahm er ihn unangenehm genau in Augenschein.

»Ich kenne Sie«, sagte er, nachdem Larry ihm zu der Schlüssigkeit seiner Theorie gratuliert und ihm versichert hatte, dass seine Kollegen und er das berücksichtigen würden. »Gleich fällt es mir ein.«

Larry hoffte, dass dies nicht der Fall sein würde. Er konnte den Aufstand wirklich nicht gebrauchen, den ein Mann von Thomas' Alter und Ansehen um ihn machen könnte. Sobald er also Phil Daly auf der anderen Straßenseite entdeckte, entschuldigte er sich rasch und ging hinüber, um mit ihm zu reden.

Phil stellte die üblichen Fragen, aber falls er eine Theorie hatte, so behielt er sie für sich. »Ich habe Sie letzte Woche gesucht«, sagte er. »Ich wollte Sie zu einem Céilí einladen.«

»Oh«, sagte Larry. »Wie schade, dass Sie mich nicht gefunden haben.«

»Tja«, meinte Phil wehmütig. »Es war gut. Aber es war bei den Liddys. Ich glaube kaum, dass es jetzt noch eines gibt. Jedenfalls nicht fürs Erste.«

»Man weiß ja nie«, meinte Larry. »Ich glaube, dass der Junge doch noch auftauchen könnte.«

Der Rest des Tages flog trotz des Mangels an Ereignissen nur so vorbei. Das einzig Bemerkenswerte war das plötzliche Auftauchen eines weißen Esels auf der ruhigen Straße, die am Gemeindehaus vorbeiführte. Keiner wusste, wem er gehörte oder von wo er gekommen war. Nur noch wenige Leute hielten sich überhaupt Esel.

Eigentlich wäre es nicht Sache der Polizei gewesen, aber da Larry nun ohnehin im Dorf war und sonst nicht viel zu tun hatte, wurde er in die Debatte hineingezogen, was mit dem Esel zu tun sei. Es war ein friedliches Tier und eine höchst vergnügliche Sache für die Schulkinder, aber zugleich ein Verkehrshindernis, das nicht einfach bleiben konnte, wo es war. Sergeant Early bekam einen kleineren Wutanfall, als Larry ihn um Rat anfunkte, und eine Weile blieb er unschlüssig, was er tun sollte. Danach stand er vor dem Supermarkt, einen Arm um den Hals des Esels gelegt, bis einer der ortsansässigen Pferdebesitzer davon erfuhr und sich bereit erklärte, das Tier zu versorgen, bis sich der rechtmäßige Besitzer meldete.

The White Donkey
Kate Thompson
5
9
13

11

UND dann gab es tatsächlich eine Taube auf dem Tor. Während er auf Aengus wartete, nahm JJ die Geige aus dem Kasten und ließ den Bogen ein wenig über die Saiten gleiten, um zu sehen, was ihm so einfiel. Irgendwie hatte er sich in den Kopf gesetzt, dass er sich nur an *Dowd's Number Nine* zu erinnern brauchte, und die ganze Sache mit der Zeit würde sich auf wunderbare Weise regeln. Als es ihm nicht gelang, versuchte er, sich an einige der Melodien zu erinnern, die er mit den anderen im *Winkles* gespielt hatte, und als er mit denen nicht weiterkam, spielte er *Pigeon on the Gate* – die Taube auf dem Tor.

»Das ist das falsche *Pigeon on the Gate*«, sagte Aengus, der gerade aus dem Gehölz kam.

JJ schaute den Vogel an. Aengus nahm die Geige und spielte ein anderes Stück. Es war in derselben Tonart, und die ersten paar Töne waren dieselben, aber es war eine lieblichere, eindringlichere Melodie. JJ hatte sie noch nie zuvor gehört, aber ihm fiel noch eine andere Version ein. Er nahm die Geige wieder. »Und wo steckt sie jetzt, diese Taube?«, fragte er und spielte.

Aengus zuckte die Schultern. »Die könnte sonst wo stecken.«

JJ spielte *The Bird in the Bush*. Aengus lachte und tanzte

ein paar beschwingte Schritte auf der Straße. JJ hatte seinen Spaß, aber Aengus nahm die Geige und legte sie in den Koffer zurück. »Du bist ein schlechter Lehrer«, sagte er. »Ziemlich schlampig für einen Ploddy.«

»Einen was?«

»Einen Ploddy«, sagte Aengus. »Ihr habt einen Namen für uns. Dachtest du, wir hätten keinen für euch?«

»Aber … Ploddy?«

»Wohl kaum schlimmer, als uns als Feen zu bezeichnen«, meinte Aengus. Er schlang sich den Geigenkasten wieder über die Schulter und sie gingen weiter die Straße entlang. Irgendetwas war seltsam an ihm, und es dauerte eine Weile, bis JJ klar wurde, was es war.

»Du hast dein Hemd gewechselt«, sagte er.

Aengus schaute an sich hinunter, als wäre er sich nicht sicher, was er trug. »Ach ja«, sagte er. »Das hatte ich nicht erwähnt, oder?«

»Was erwähnt?«

»Die Kobold-Wäscherei. Das hatte ich bei ihnen zu erledigen. Sie waschen Kleider.«

JJ fand das unwahrscheinlich, aber er konnte schlecht dagegen argumentieren. »Sie waschen eure Hemden«, sagte er, »und ihr bezahlt sie mit Gold?«

»Na ja«, sagte Aengus, »jedenfalls hoffen sie das immer, ja.«

Das wilde Hämmern hinter ihnen verlor sich mit der Entfernung und erstarb schließlich. Als sie wieder einmal anhielten, um auf Bran zu warten, kehrten JJs Gedanken zu den Wechselbälgern zurück.

»Und holt ihr sie dann wieder zurück?«, fragte er Aengus. »Eure Kinder?«

»Nein, nein«, sagte Aengus. »Wir vergessen sie einfach. Sie kommen von selbst zurück, wenn sie so weit sind.«

»Wie meinst du das? Sie tauchen einfach hier auf?«

»Genau. Sie sind normalerweise in deinem Alter, wenn sie hierher kommen, plus minus ein oder zwei Jahre.«

»Aber wie kommen sie hierher?«, fragte JJ. »Und woher wissen sie überhaupt, dass sie ...« Er zögerte und beschloss dann, dass alles freigegeben war, nachdem Aengus ihn als Ploddy bezeichnet hatte. »Woher wissen sie, dass sie Feen sind?«

Sie hatten den höchsten Punkt der Straße erreicht und Aengus wandte sich zu einer Lücke in der Hecke. Dort gab es, genau wie in JJs Welt, einen schmalen Pfad, der in Richtung des Haselwäldchens am Fuße des Eagle's Rock führte.

»Du weißt über den Kuckuck Bescheid, nehme ich an«, sagte Aengus.

»Ein bisschen«, sagte JJ. »Ich weiß, dass er seine Eier in die Nester anderer Vögel legt.«

»So ist es«, sagte Aengus. »Und dann fliegt er direkt zurück nach Afrika. Die Jungen schlüpfen in Irland, wachsen in Irland auf, lernen in Irland fliegen und wenn sie so weit sind, machen sie sich ebenfalls auf den Weg nach Afrika.«

»Echt?«, sagte JJ. »Aber woher wissen sie, wie man nach Afrika kommt?«

»Genauso wie unsere Kinder wissen, wie sie hierher kommen«, sagte Aengus.

»Es muss eine Art Instinkt sein«, sagte JJ.

»Könnte sein«, sagte Aengus, »obwohl ich vermute, dass ›Instinkt‹ einfach das Wort ist, das eure Wissenschaftler benutzen, um all die tierischen Verhaltensweisen zu erklären, die sie nicht verstehen. Wusstest du, dass der Kuckuck ursprünglich von hier stammt?«

»Nein«, sagte JJ, obwohl er sich bei näherem Nachdenken daran erinnerte, dass der Kuckuck auch als *Fairy Bird*, also Feenvogel, bezeichnet wurde.

Aengus blieb stehen, um Bran auf den Arm zu nehmen. Sie überquerten gerade ein schwieriges, steiniges Gelände, das dem Tier Mühe bereitete. »Es ist dasselbe Prinzip, verstehst du?«, sagte er. »Sie haben früher ihre Eier im Ploddy-Land gelegt und sind dann nach Hause gekommen. Ihre Jungen haben ein wenig von eurer Zeit genutzt, um aufzuwachsen, und sind dann ihren Eltern hierher gefolgt.«

»Und warum tun sie das nicht mehr?«, fragte JJ.

»Flugzeuge«, sagte Aengus und setzte Bran vorsichtig ab.

»Was ist mit Flugzeugen?«, fragte JJ.

Aengus blickte nach oben. »Siehst du welche?«

JJ suchte den Himmel ab. »Nein.«

»Es gibt keine, deshalb. Wir mussten die Himmelsöffnungen schließen, als ihr da drüben gelernt habt zu fliegen. Es war viel zu gefährlich.«

»Es gab Himmelsöffnungen?«

»Jede Menge«, sagte Aengus. »Für die Kuckucke. Aber wir konnten nicht zulassen, dass hier flugzeugeweise Ploddys landeten, oder? Außerdem sind es schrecklich laute, stinkige Dinger, diese Flugzeuge. So traurig es war, wir mussten uns von den Kuckucken verabschieden.«

Sie gingen weiter den steinigen Pfad entlang, der über eine weitläufige, mit Felsen durchsetzte Wiese führte. In JJs Welt war sie kahl und vom Wind zerzaust, aber hier lag sie friedlich und heiter da, überwuchert von Klee und Storchschnabel. Hier waren nirgendwo Socken zu sehen.

»Und wie habt ihr das gemacht?«, fragte JJ. »Wie habt ihr die Himmelsöffnungen geschlossen?«

»Ich weiß es nicht«, sagte Aengus. »Mein Dad kümmert sich um das ganze Zeug. Er musste auch die Meeresöffnungen schließen, als ihr anfingt, U-Boote zu bauen. Das Meeresvolk muss jetzt ganz hier drüben bleiben.«

»Und was wäre, wenn eine Öffnung offen geblieben wäre?«, sagte JJ. »Aus Versehen, meine ich. Könnte die Zeit nicht da hindurchströmen?«

»Sie würde nicht durchkommen«, sagte Aengus. »Die Zeithülle ist an diesen Stellen genau die gleiche wie hier bei uns. Es gab übrigens eine Öffnung, die mal für eine Weile offen blieb. Dad hatte sie einfach vergessen, und eine ganze Reihe von Flugzeugen ist hindurchgeflogen, bevor er es gemerkt hat. Die Ploddys haben es Bermudadreieck genannt.«

»Aber das ist ja tausende von Meilen weg«, sagte JJ. »Wie konnten die Flugzeuge dann nach Tír na nÓg gelangen?«

»Unsere Welt ist genauso groß wie eure, JJ. Die gleichen Meere, die gleichen Kontinente, alles gleich außer der Zeit.«

JJ setzte sich auf einen Felsblock. »Das ist ja verrückt«, sagte er. »Das bedeutet, dass das Loch überall sein könnte. Überall auf der ganzen Welt!«

Es kam keine Antwort. JJ wandte sich nach Aengus um. Bran lag im Gras und leckte sein verletztes Bein, aber Aengus war nirgends zu sehen.

THE CUCKOO'S NEST
Trad

12

Aengus?«, rief JJ.

»Was ist?« Aengus stand direkt hinter ihm. Genau dort, wo er zuvor erwartet hatte, ihn zu sehen. Aber er war nicht da gewesen, als er zum ersten Mal geschaut hatte, da war er sicher.

»Gerade habe ich dich nicht gesehen«, sagte JJ. »Meine Augen spielen mir wohl Streiche.«

»Wie seltsam«, sagte Aengus. »Man weiß doch nie, was in so einem Ploddy-Hirn vor sich geht.«

Er ging weiter am Hang entlang und JJ folgte ihm. Vor ihnen stieg der Eagle's Rock auf, ein blanker Fels, der hoch aus dem dichten Gehölz zu seinen Füßen emporragte. Kein Lüftchen regte sich, und es herrschte völlige Stille, bis ein markerschütternder Schrei von der Felswand herüberklang. Bran stellten sich die Nackenhaare auf und er knurrte. Es war das erste Geräusch, das JJ von ihm hörte.

»Was war das?«, fragte er Aengus.

»Jedenfalls kein Kobold«, sagte Aengus. »Die kommen nicht so hoch hinauf.«

Sie gingen weiter. Brans Nackenhaare blieben gesträubt, aber es kam kein weiteres Geräusch vom Felsen her. Am Waldrand, wo der kleine Pfad zu Colmans Höhle hinaufführte, wandte sich Aengus nach JJ um.

»Wo genau hast du den Tabakrauch gerochen, JJ?«

In seiner eigenen Welt kannte JJ das Wäldchen gut. Es hatte eine Zeit gegeben, als er oft hier gewesen war, einfach um die kühle Luft und die unberührte, geheimnisvolle Atmosphäre zu genießen. Aber hier ließ es ihn schaudern. Er war sich gar nicht sicher, ob er wirklich hineingehen wollte.

»Ungefähr in der Mitte, glaube ich«, sagte er. »Aber wenn ich's mir genau überlege, dann hab ich vielleicht doch gar nichts gerochen. Vielleicht hab ich mir alles nur eingebildet.«

»Das sagen Ploddys immer, wenn es um Lecks geht«, sagte Aengus. »Komm schon.«

Er ging zwischen den Bäumen hindurch voraus. Das Sonnenlicht schien durch die Zweige und bedeckte den moosigen Untergrund mit einem Muster aus Schatten. Bran war noch immer nervös, und JJ spürte, dass auch Aengus trotz seiner unbekümmerten Art wachsam war. Als sie an einem jungen Schlehdornbusch vorbeikamen, zirpte und tickte ein kleiner Schwarm Zaunkönige sie an, als hinge der ganze Busch voller winziger Uhren. Abgesehen davon war im ganzen Wald kein Geräusch zu hören außer ihren eigenen vorsichtigen Schritten. »Hier ungefähr?«, fragte Aengus nach einer Weile.

»Noch ein Stückchen weiter, glaube ich«, flüsterte JJ. »Es ist schwer zu sagen.«

Nach weiteren hundert Metern zupfte er Aengus am Ellenbogen. »Hier, glaube ich.«

»Gut.« Aengus blieb stehen und schaute sich gründlich um. »Dann muss ich wohl mal für ein Weilchen nach drüben gehen.«

»Nach drüben gehen?«, fragte JJ.

»Ich bleibe nicht lange, aber ich kann die Hülle nicht kontrollieren, ohne hindurchzugehen.« Er reichte JJ die Geige. »Dir kann hier mit Bran nichts passieren.«

»Okay«, sagte JJ.

»Aber sprich nicht mit irgendwelchen Ziegen, verstanden?«

»Ziegen?«, sagte JJ, aber Aengus war bereits verschwunden. Er glitt mit einem kleinen Schritt zwischen die Ruten eines Haselbusches und dann …

Wo?

JJ wünschte, Bran wäre nicht so nervös. Er legte sich wieder hin, aber nicht wie sonst. Er ruhte sich nicht aus. Seine Ohren waren aufgestellt, und er starrte gebannt in Richtung des Felsens, als erwarte er, dass dort jeden Augenblick etwas auftauchen könnte. JJ setzte sich auf einen mit Moos bewachsenen Felsbrocken. Er war feucht, obwohl der Tag trocken gewesen war, aber JJ stand nicht wieder auf. Er hatte das höchst unschöne Gefühl, dass er beobachtet wurde.

Er stellte den Geigenkasten auf den Boden, hatte jedoch keine Lust, ihn zu öffnen. Er fühlte sich viel zu ausgesetzt. Die Feuchtigkeit kroch in seine Jeans, aber er blieb doch, wo er war.

»Guter Hund, Bran«, sagte er leise, vor allem um die Stille ein wenig zu durchbrechen. Als Reaktion gab der Hund ein Knurren, ein tiefes Grollen aus der Tiefe seiner Brust, von sich. JJ bekam eine Gänsehaut. Bran starrte zwischen die Bäume. Da war etwas.

JJ atmete erleichtert auf. »Es ist nur eine Ziege, Bran«, sagte er. Er war an wilde Ziegen hier oben auf dem Berg gewöhnt. Sie stellten eine Bedrohung für die Bauern dar, aber JJ hatte trotz allem eine gewisse Hochachtung vor diesen Tieren. Sie kamen und gingen, wie es ihnen gefiel, und kümmerten sich nicht um Mauern oder Zäune oder sorgfältig gehegte Weiden. Mehr als einmal hatten Helen und Ciaran eine gute Milchziege an die wilden Herden verloren, die hier oben umherzogen. Und wenn JJ die wilden Ziegen sah, dachte er an sie und überlegte, wie ihr Leben jetzt wohl war, weit weg von den Bequemlichkeiten des Bauernhofes, unterwegs mit den zottelig zuckelnden Zigeunern.

Aber waren die Ziegen in Tír na nÓg die gleichen? Diese verhielt sich jedenfalls nicht so wie andere, denen er hier oben bereits begegnet war. Sie blieben meist im Verborgenen, und wenn er sie, was gelegentlich vorkam, einmal überraschte, dann beeilten sie sich immer, ihm aus dem Weg zu gehen. Doch diese Ziege kam auf ihn zu. Und sie war, wie ihm jetzt deutlich wurde, die größte, die er jemals gesehen hatte.

Brans Reaktion flößte ihm auch nicht gerade Zuversicht ein. Er hatte offensichtlich Angst vor der Ziege und versuchte wechselweise, JJ durch hysterisches Knurren zu beschützen und sich hinter ihm zu verstecken. Die riesige Ziege beachtete ihn gar nicht und kam immer näher.

JJ stand auf. Die Ziege blieb etwa zwanzig Meter von ihm entfernt stehen. Sie hatte einen kecken, fast amüsierten Ausdruck, als hätte sie es auf ein bisschen Spaß abgesehen. JJ hoffte, dass es nicht auf seine Kosten gehen würde. Er war schon mehr Ziegenhörnern begegnet als die meisten Leute, aber er hatte noch nie Hörner dieser Größe gesehen. Sie waren so dick und lang wie seine Arme und verdammt viel gefährlicher.

Hinter einem Felsblock oder einem Baumstamm hätte er sich viel sicherer gefühlt, aber er konnte sich nicht bewegen, konnte sich nicht einmal umsehen, um zu überlegen, wohin er rennen sollte, falls es nötig wäre. Die gelben Augen der Ziege, ihre schmalen, länglichen Pupillen hielten ihn in ihrem Bann gefangen. In ihnen lag ein scharfer, gefährlicher Verstand. Sie waren voller Spaß und voller Verderben. Bran hatte das Ringen um seinen Stolz aufgegeben und verkroch sich hinter JJs Rücken.

»Ich kenne dich«, sagte eine volle dunkle Stimme. JJ konnte nicht sagen, ob sie aus der Luft um ihn herum oder direkt aus seinem Kopf kam. »Ich hab dich hier schon mal gesehen.«

JJ wollte schon antworten, als ihm Aengus' Worte wieder einfielen. »Sprich nicht mit irgendwelchen Ziegen.«

»Vielleicht nicht hier«, sagte die Ziege. »Eher drüben auf der anderen Seite, oder?«

JJ sagte noch immer nichts. Der Ausdruck der Ziege änderte sich nicht, aber in ihrer Stimme lag ein Lächeln. »Aengus Óg hat dir den Kopf mit Unsinn voll gestopft, wie ich sehe. Na ja. So sind sie eben, die Sidhe.«

JJ hatte den alten Namen für die Feen fast vergessen. Das Wort bedeutete auch Hügel oder bezeichnete die Leute, die am Hügel leben. Der Name besaß ganz verschiedene Bedeutungen.

»Ein gewitztes Volk«, sagte die körperlose Stimme der Ziege. »Man darf ihnen nicht trauen. Hat dir erfundene Geschichten von einem Zeitleck erzählt, oder?«

JJ hielt den Mund, aber es war nicht einfach. Die Ziege machte ihm Angst, obwohl sie nicht darauf aus zu sein schien, ihm etwas anzutun.

»Und er hat sich rasch mal nach drüben abgesetzt, oder?«, fuhr die Stimme fort. »Damit er da mit was Jungem, Hübschem anbändeln kann, da wette ich. Ein draufgängerischer Bursche, dein Aengus Óg. Der wilde Ire mit seiner Fiddle und seinem Charme und seinem kleinen bisschen Magie.«

JJ fühlte Müdigkeit. Er wollte Aengus verteidigen; er wollte kein bösartiges Gerede mehr hören, aber da war etwas an den tiefen, sanften Tönen der Stimme, was ihn zum Zuhören bewegte.

»Müde?«, fragte die Ziege. »Furchtbar warm hier, nicht wahr?«

JJs Gedanken schweiften ab. Das grüne Moos, das nach Wasser roch, die fleckigen Schatten, die warme Sonne, die warme Stimme – das alles schien in einen Traum zu gehören. Seine Augenlider schlossen sich. Die Traumgeräusche und -gerüche wurden stärker und intensiver. Aber etwas bewegte sich zwischen ihm und der Sonne. Seine Augenlider und seine Haut spürten den Schatten.

Mit großer Mühe gelang es ihm, die Augen zu öffnen. Das Ding, das da vor ihm stand, war keine Ziege. Es hatte Hörner und Hufe an den Füßen, aber es stand aufrecht auf zwei Beinen. So hoch wie die Bäume ragte es drohend über ihm auf.

»Aengus!«, schrie er, so laut er nur konnte. Bran nahm allen Mut zusammen und kam bellend und schnappend an seine Seite. Das Ding schrumpfte, nahm wieder die Gestalt einer Ziege an und blickte sie ruhig und selbstsicher an wie zuvor.

»Weißt du, was ich bin?«, fragte die Stimme.

JJ hätte fast geantwortet. Er konnte sich gerade noch zurückhalten, von Kopf bis Fuß zitternd.

»Weißt du, wer wir sind, die wir zwischen den Welten wandern und die wilden Orte der Welt heimsuchen?«

JJ spürte, wie seine Kraft wieder zu schwinden begann. Er wurde von der Stimme eingelullt.

»Willst du die wahre Zauberkraft kennen lernen, die in der Welt wirkt?«

JJ legte die Hände über Augen und Ohren. Er summte sich selbst etwas vor, und die Melodie war die, die ihm seine Mutter vor weniger als vierundzwanzig Stunden beigebracht hatte.

Etwas packte ihn am Handgelenk. Er biss die Zähne zusammen und widerstand mit all seiner Kraft, wobei er Augen und Ohren geschlossen hielt.

»JJ!« Er hörte seinen Namen ganz dicht an seinem Ohr und wagte einen vorsichtigen Blick zwischen den Fingern hindurch. Es war Aengus.

THE WILD IRISHMAN
Trad

13

ANNE Korff ging zurück zum Dorf, mit Lottie auf den Fersen. JJ Liddy war weder auf den Kieswegen noch irgendwo sonst in der Nähe zu finden, und Anne hatte langsam den Verdacht, dass er dort auch nie gewesen war. Sie schalt sich selbst. Sie hätte es besser wissen müssen und nichts von dem glauben sollen, was Aengus Óg ihr erzählte. Es war bei weitem nicht das erste Mal, dass er sie auf eine falsche Fährte geschickt hatte. Sie erinnerte sich noch daran, wie er ihr angeboten hatte, dass sie ihrer Leidenschaft für das Segeln nachgehen sollte, indem sie sein wendiges, kleines Boot, die *Salamanca*, für einen kleinen Segelausflug in der Bucht auslieh. Er hatte eine perfekte ablandige Brise herbeigepfiffen, die sie geschwind an Augnish vorbei bis an die Mündung der Bucht beförderte. Aber sobald sie sich auf den Rückweg machen wollte, stellte er den Wind ab und ließ eine gewaltige Wolke sich über die Wasserfläche legen.

Die Boote der Sidhe haben keine Motoren. Das Ganze war geschehen, bevor die Zeit in Tír na nÓg Einzug gehalten hatte, aber dennoch hatte Anne Korff weit mehr über das Innere von Wolken erfahren, als sie jemals hatte wissen wollen.

Im Dorf fragte Anne zwischen den Tänzen die Müde Maggie, ob sie JJ gesehen hätte. Maggie konnte ihr nicht sagen, wo er jetzt war, aber sie sagte ihr, wo er gewesen war, als Anne vor *Winkles* auf Aengus getroffen war. Anne stand mit Lottie an der Hafenmauer und schaute aufs Meer hinaus. Es war sinnlos, gleich wieder loszuziehen und die beiden zu suchen; es gab viel zu viele Orte, an denen sie sein konnten. Sie wusste, welche Gefahren es barg, zu lange im Land der ewigen Jugend zu bleiben, aber sie wusste auch, dass alles im Wandel war. Wenn die Entwicklung so weiterging wie bisher, gäbe es vielleicht nie wieder Gelegenheit, das Land so zu sehen, wie es jetzt war. Noch ein Tänzchen oder zwei könnten nicht schaden.

Als die Musikanten wieder anfingen zu spielen, mischte sie sich unter die Menge; fühlte die vertraute Leichtigkeit in ihren Füßen und in ihrem Herzen, als alle Sorgen von ihr abfielen. Solange JJ sich an das erinnerte, was sie ihm gesagt hatte, wäre alles in Ordnung. Im Moment konnte sie jedenfalls nicht mehr für seine Eltern tun.

Out on the Ocean
Trad
6
10
15

14

Der neue Polizist hatte sich im Laufe der Woche telefonisch krank gemeldet und war dann noch drei Tage lang nicht zur Arbeit erschienen. Deswegen erfuhr er auch erst, als er sich am Freitagmorgen wieder zurückmeldete, vom jüngsten Drama im Dorf. Diesmal konnte es keinen Zweifel an der Lage der Dinge geben. Thomas O'Neill wurde ebenfalls vermisst.

Man hatte ihn seit Montag, dem Tag, an dem er Garda O'Dwyer auf der Straße begegnet war, nicht mehr gesehen. Die Letzte, die ihn gesehen hatte, war seine Tochter Mary, die ihn auf seinem Heimweg vom Einkaufen getroffen hatte. Sie war auf dem Weg nach Galway gewesen, und er hatte sie gebeten, auf dem Rückweg auf einen Sprung vorbeizukommen, da er ihr etwas Interessantes zu erzählen hätte. Aber als sie drei oder vier Stunden später hinkam, war er nicht zu Hause. Weder ihr Bruder noch sonst irgendjemand hatte eine Ahnung, wo er war. Und nun, vier Tage später, war er noch immer verschwunden. Die Polizei hatte ihre Arbeit getan: Das Hafenbecken war abgesucht und das Dorf durchkämmt worden. Nirgends gab es eine Spur von Thomas.

Die Dorfbewohner, die ohnehin schon besorgt gewesen waren, befanden sich nun in einem Zustand von Panik. Sie forderten rund um die Uhr Polizeischutz und Sergeant Early sicherte diesen zu. Er war daher alles andere als begeistert, als Larry O'Dwyer am Ende seiner Schicht in seinem Büro auftauchte und ihm seine Kündigung überreichte.

»Warum?«, fragte er ihn.

»Ich erreiche hier nichts«, sagte Larry.

»Sie machen den Job doch erst seit ein paar Wochen«, sagte Sergeant Early. »Was wollten Sie denn erreichen?«

Larry zuckte die Schultern. »Ich bin einfach nicht dafür gemacht«, sagte er. »Ich dachte, es wäre eine gute Idee, zur Polizei zu gehen, aber es scheint nicht so zu funktionieren, wie ich es mir vorgestellt hatte.«

»Na toll«, sagte Sergeant Early sarkastisch. »Sie ahnen nicht, wie froh ich bin, das zu hören. Wir stecken mitten in der größten Krise, die es in dieser Gegend seit Jahren gegeben hat, und Sie haben ausgerechnet jetzt das ganz persönliche Gefühl, dass es für Sie nicht funktioniert.«

Larry blickte auf den Fußboden und zählte rückwärts. »Tut mir Leid«, sagte er.

»Was hatten Sie eigentlich erwartet?«, fragte der Sergeant. »Schnelle Autos? Schießereien? Wir sind hier nicht in Amerika, verstehen Sie?«

»Das ist es nicht«, sagte Larry. »Ich dachte einfach …«

»Was dachten Sie?«

»Ich dachte, die Polizei wüsste mehr, als es der Fall ist. Ich dachte, man verstünde hier etwas von jeder Art von Detektivarbeit. Jedenfalls glaube ich, dass ich das dachte.«

Sergeant Early starrte Garda O'Dwyer an und fragte sich, ob dieser noch ganz zurechnungsfähig war. Vielleicht wäre man bei der Garda Síochána letztlich besser dran ohne Träumer wie ihn.

»Wie Sie meinen, Larry«, sagte er. »Aber es ist ein guter Job, wissen Sie. Was wollen Sie denn jetzt machen?«

»Ich habe genug, mit dem ich mich beschäftigen kann«, sagte Larry.

»Aber Sie wissen doch, mit dem Fiddlespielen lässt sich kein Geld verdienen.«

»Geld spielt für mich keine Rolle.«

»Darüber würden Sie vielleicht anders denken, wenn Sie eine Frau und Kinder ernähren müssten«, sagte der Sergeant.

»Das würde ich bestimmt«, sagte Larry.

Sergeant Early seufzte und studierte die schriftliche Notiz, die Larry ihm gegeben hatte. Die Handschrift war groß und unordentlich, wie die eines Kindes.

»Aber Sie bleiben wenigstens noch diesen Monat?«, fragte er.

»Ich werde mich bemühen«, sagte Larry.

»Beten wir zu Gott, dass wir diese Vermisstenfälle bis dahin aufgeklärt haben«, sagte Sergeant Early.

CONTENTMENT IS WEALTH
Trad
5
9
13

15

Du hattest Glück«, sagte Aengus.

Sie saßen auf einem am Boden liegenden Ast. Die Ziege war verschwunden.

»Was war das?«, fragte JJ.

»Ein Púka«, sagte Aengus. »Ich fürchte, ich habe dir einen falschen Rat erteilt.«

»Wie bitte?«

»Na ja, es war eigentlich mehr als Witz gemeint, dass du nicht mit Ziegen reden solltest. Ich hatte nicht gedacht, dass du wirklich einer begegnen würdest.«

»Du meinst also, ich hätte mit ihm reden sollen?«

»Unbedingt«, sagte Aengus. »Er hat dich vermutlich für äußerst unhöflich gehalten.«

»Was hätte er mit mir gemacht, wenn du nicht gekommen wärst?«

»Ich habe keine Ahnung«, sagte Aengus. »Aber sie verfügen über mächtige Zauberkräfte, diese Púkas. Sehr alte Wesen. Viel, viel älter als wir. Sie behaupten, sie wären von Anbeginn der Welt da gewesen. Einige sagen sogar, sie hätten sie gemacht.« Er überlegte einen Augenblick, dann streckte er sich auf dem Ast aus, die Hände hinter dem Kopf gefaltet. »Wahrscheinlich hätte ich ihn mal nach dem Leck fragen sollen.«

JJ seufzte. Langsam beruhigten sich seine Nerven wieder. »Du hast also hier in der Nähe nichts gefunden?«, fragte er.

»Nein«, sagte Aengus. »Überhaupt nichts.«

JJ blickte sich um. Der Wald machte ihm noch immer Angst. Er freute sich darauf, hier herauszukommen, aber Aengus hatte die Augen geschlossen und schien ein Nickerchen zu halten.

»Lektion Nummer fünf«, sagte JJ. »Man hat große Schlafprobleme.«

»Ich schlafe nicht«, sagte Aengus. »Das tun wir hier nicht.«

»Ihr schlaft nicht?«

»Nein.«

»Nie?«

»Bisher gab er hier kein ›nie‹«, sagte Aengus. »Ebenso wenig wie ein ›immer‹. Auch keine Nacht.« Er setzte sich auf und schaute zum Himmel empor. »Aber ich habe das schreckliche Gefühl, dass eine kommt. Was sagt deine Uhr?«

JJ warf einen Blick darauf. »Zwanzig vor sieben.«

»Und wann warst du noch mal hier angekommen?«

»Ungefähr um halb sechs.«

»Verdammt«, sagte Aengus und stand wieder auf. »Es wird schneller, JJ. Jetzt wird es wirklich ernst.«

Er nahm den Geigenkasten und setzte den Weg durch den Wald fort. Nicht in Richtung der Straße, sondern in der entgegengesetzten Richtung, auf den am höchsten gelegenen Rand des Liddy-Grundes zu. JJ folgte ihm. »Woran merkst du, dass es schneller wird?«, fragte er.

Aengus sprach über die Schulter. »Als es anfing, haben wir es kaum bemerkt. Wir hatten das Gefühl, dass etwas nicht ganz stimmte, aber es war so langsam, dass man es fast nicht wahrnehmen konnte. Dann fingen die Leute an, davon zu reden, dass die Sonne sich bewegt hatte. Natürlich glaubte ihnen keiner. Das konnte nicht sein. Aber es war so. Wir bemerkten Schatten, wo normalerweise keine Schatten waren. Zuerst nur ganz minimal, kleine Streifen entlang der Straße, aber dann wurden sie breiter und breiter, bis keiner mehr leugnen konnte, dass etwas geschah. Seitdem ist es immer schneller gegangen.«

»Es geht ziemlich langsam im Vergleich zu meiner Welt«, sagte JJ.

»Aber es ist immer noch viel zu schnell. Eines der Probleme ist, dass wir nicht genau sagen können, wann es angefangen hat, weil es am Anfang so langsam war. Wenn wir wüssten, wann alles angefangen hat, nach euren Jahren gerechnet, meine ich, dann könnte uns das einen Hinweis auf die Ursache des Ganzen geben.«

»Wie das?«, fragte JJ.

Die moosbedeckten Felsen waren rutschig und das Unterholz wurde immer dichter. Aengus hatte Mühe, sich zwischen Haselnusszweigen, Dornenranken und Eschensprösslingen hindurchzukämpfen.

»Du weißt schon, was ich meine«, sagte er. »Erdbeben, Wirbelstürme, atomare Explosionen. Da besteht immer die Möglichkeit, dass so etwas die Zeithülle beschädigen könnte. Alles Offensichtliche haben wir bereits untersucht, aber wir könnten ja etwas übersehen haben.«

»Vielleicht hat es etwas mit der globalen Erwärmung zu tun? Es gab bei uns in der letzten Zeit ziemliche Klimaveränderungen«, sagte JJ.

»Wir reden aber nicht von der letzten Zeit«, sagte Aengus. »Diese Geschichte hat lange vor deiner Zeit angefangen.«

»Was?«

»Die beste Schätzung, zu der wir kommen, lautet irgendwo zwischen fünfzig und hundert Jahren.«

JJ hatte Mühe, mit Aengus Schritt zu halten, der, nach der Geschwindigkeit und Eile seines Marsches durch den Wald zu urteilen, endlich das Grundprinzip des Sich-Sorgens erfasst hatte.

»Willst du damit sagen, dass in der Zeit, in der eure Sonne von da«, er deutete hinauf, »nach da gewandert ist, in meiner Welt hundert Jahre vergangen sind?«

»Nein«, sagte Aengus. »Es könnten auch bloß fünfzig sein.«

Diese Neuigkeit irritierte JJ. Das unbehagliche Gefühl, das schon seit seiner Ankunft an ihm nagte, breitete sich aus und wurde so etwas wie Angst. Aber er konnte es noch immer nicht genau bestimmen. Er wusste, dass eine entscheidende Information in seinem Gedächtnis gespeichert war, aber wie bei *Dowd's Number Nine* wollte es ihm einfach nicht einfallen.

»Und wo gehen wir jetzt hin?«, fragte er.

Sie hatten endlich den Waldrand erreicht. Aengus deutete nach links, zu dem steilen Anstieg am Fuße des Eagle's Rock. »Da hinauf. Ich habe versucht, es vor mir herzuschieben, aber jetzt muss es sein. Wir werden meinem Vater einen Besuch abstatten.«

The Púka
Kate Thompson
5
10
14

TEIL 4

1

Zu Sergeant Earlys großem Ärger tauchte Garda O'Dwyer in der folgende Woche überhaupt nicht zur Arbeit auf. Early rief in seiner Unterkunft an, aber die Vermieterin sagte, sie hätte ihn nicht gesehen.

»Er ist ohnehin nicht viel hier«, sagte sie. »Ich weiß nicht, wo er immer hingeht.«

Sergeant Early legte den Hörer auf. »Na ja, ich weiß verdammt gut, wo er hingeht«, sagte er zu Garda Treacy. »Er steckt irgendwo und spielt diese vermaledeite Fiddle.«

Er ließ das Telefonbuch auf den Tisch fallen und fixierte Tracy mit einem leicht wahnsinnigen Blick. »Die sind doch alle gleich, diese Fiddlespieler. Sie halten sich für Götter, aber das sind sie nicht. Das ist das Instrument des Teufels, die Fiddle. Mein Vater hat sich aus Liebe dazu zu Tode gesoffen, ich muss es also wissen. Es ist das Instrument des Teufels.«

Ciaran hörte Helen am Telefon sprechen.

»Hi, Phil? Helen hier… Gut, danke, und selbst?«

Ciaran wusste, dass es ihr nicht gut ging. Keinem von ihnen ging es gut. All die Gespräche, die sie geführt hatten, wie sehr sie auch beteuert hatten, man müsse sich mit den Tatsachen abfinden, alles konnte den bohrenden Schmerz, den JJs andauernde Abwesenheit verursachte, nicht lindern. Es war jetzt mehr als zwei Wochen her und es wurde nicht besser. Sie alle schreckten vor der Idee zurück, dass der Fall als abgeschlossen gelten sollte, und dennoch mussten sie nach und nach die Notwendigkeit einsehen. Alles wäre besser als der Schwebezustand, in dem sich die ganze Familie momentan befand.

»Hast du am Samstag in einer Woche schon etwas vor?«

Ciaran stellte sich vor Helen und signalisierte ihr seine Verwunderung. Zu ihm hatte sie noch nichts gesagt wegen Samstag in einer Woche. Die Tage seit JJs Verschwinden waren so schnell verflogen, dass kaum Zeit gewesen war, die nähere Umgebung zu durchsuchen. Und ihre Gedanken. Und ihre Seelen. Ciaran war sich nicht einmal sicher, ob er wusste, welcher Wochentag war.

»Wir veranstalten ein Céilí«, sagte Helen zu Phil und schaute Ciaran dabei an. »Wie üblich. Zweiter Samstag im Monat.«

»Was?«, sagte Ciaran.

»Könnt ihr es weitersagen?«, sagte Helen gerade. »Das spart uns die Mühe.«

»Helen!«, zischte Ciaran.

»JJ hätte es so gewollt«, sagte sie, an beide gerichtet. »Was immer mit ihm geschehen ist, er ist trotz allem ein Liddy.«

SERGEANT EARLY'S JIG
Trad
6
10
14

2

JJ stand am Waldrand und schaute in die Ebene hinab. Unter dem klaren Himmel konnte er jedes Detail erkennen, das zwischen den Bergen und dem Meer in der Ferne lag.

»Kann ich runtergehen und einen Blick auf unser Haus werfen?«, fragte er Aengus.

»Später«, sagte Aengus.

»Ich wette, ihr hattet früher überhaupt kein ›später‹«, bemerkte JJ.

Er schaute immer noch ins Tal hinab. Wo das Haus der Liddys gewesen wäre, stand eine Gruppe hoher Bäume. Ihre Blätter waren rot; ein unerwartet feuriges Leuchten inmitten der graugrünen Hügel.

»Was sind das für Bäume?«, fuhr JJ fort, aber Aengus war verschwunden. Für einen, der ewig lebte, hatte er es unnatürlich eilig. Er ging schnellen Schrittes über den unebenen Grund auf eine Gruppe von zerfurchten Felsblöcken zu; sie bildeten eine Art riesige Kalksteintreppe, die hochzuklettern JJ immer vermieden hatte, soweit es möglich war. Die Stufen waren etwas einfacher zu erklimmen als die glatte Seite des Eagle's Rock, aber nicht viel.

Bran lag zu seinen Füßen. Seine Anhänglichkeit war rührend, und er fragte sich, woher sie kam. Er war freundlich zu ihm, aber das war Aengus auch. Und Aengus war derjenige, der ihm half, wenn der Weg zu schwer für ihn wurde, nicht JJ.

»Ich denke, wir sollten ihm folgen«, sagte er zu dem Hund.

Aber als der sich mühsam aufrappelte, bemerkte JJ, dass Bran schwächer wurde. Der Weg, den er bereits auf drei Beinen zurückgelegt hatte, war heldenhaft. Er glaubte nicht, dass der Hund es bis zum Gipfel des Berges schaffen würde.

»Aengus!«

Aengus blieb stehen und wartete, bis sie ihn eingeholt hatten.

»Lebt dein Vater hier oben?«, fragte JJ.

»Sein Haus steht unten im Dorf«, sagte Aengus. »Du hast es vielleicht gesehen, gegenüber der Pumpe.«

»Du meinst die Kirche?«, fragte JJ.

»Genau. Aber da wohnt er nicht.« Aengus wies auf den steilen Anstieg vor ihnen. »Er bleibt immer dort oben.«

»Warum?«

»Weil er ein Querkopf ist«, sagte Aengus. Er gab JJ den Geigenkasten und nahm Bran auf die Arme. Sein verletztes Bein hing an dem letzten Hautfetzen herunter und schwang mit jedem Schritt, den Aengus machte, hin und her. Da kam JJ eine Idee.

»Aengus?«

Aengus blieb stehen. Trotz des Gewichtes des Hundes und des steilen Anstiegs war er kaum außer Atem.

»Warum schneiden wir sein Bein nicht einfach ab?«

JJ war nicht zimperlich. Das konnte er sich auch gar nicht leisten, weil sowohl Helen als auch Ciaran empfindlich waren. Auf dem Hof kam es ständig vor, dass sich Tiere verletzten. Normalerweise kümmerte sich der Tierarzt darum, aber es gab Situationen, in denen das nicht praktisch oder nicht möglich war. Eine ihrer Ziegen hatte sich einmal so schwer am

Horn verletzt, dass es wie Brans Bein nur noch an einem kleinen Fetzen hing. JJ hatte es einfach mit dem Taschenmesser abgeschnitten.

»Es ist sowieso nicht zu retten«, fuhr JJ fort. »Er wäre besser dran, wenn er es nicht auch noch hinter sich herschleifen müsste. Ich habe schon oft Hunde mit nur drei Beinen gesehen und sie kommen prima zurecht.«

»Und wie würden wir es abschneiden?«, fragte Aengus.

»Ich hab ein Messer. Ich mach es, wenn du ihn dabei festhältst.«

Aengus schaute in die goldenen Augen des Wolfshundes. »Ich glaube nicht, dass er das so besonders gerne hätte.«

»Es wäre vorbei, bevor er es überhaupt mitkriegt«, sagte JJ.

»Auf eurer Seite vielleicht«, meinte Aengus. »Ich bin mir hier bei uns aber nicht so sicher. Hast du seine Zähne gesehen?«

Er ging weiter den Berg hinauf und JJ kletterte hinter ihm her. Aengus' Einwand mit den Zähnen war verständlich. Bran war ein Jagdhund und bei weitem der kräftigste, den er je gesehen hatte. Aber da kam ihm eine andere Idee.

»Ich nehme ihn mit«, sagte er. »Ich bringe ihn zum Tierarzt bei uns im Dorf, lass ihm ein bisschen Zeit, sich zu erholen, und bringe ihn dann zurück.«

Aengus blieb nicht einmal stehen oder wandte sich um, aber seine Worte ließen JJ keinen Raum für Zweifel.

»Das, mein lieber junger Ploddy-Freund, ist etwas, was du nicht tun kannst.«

The Green Mountain
Trad
5
9
3
13

3

Am Ende der riesigen Stufen angekommen, stellte Aengus Bran wieder auf den Boden, und der Hund folgte ihm und JJ über das magere Gras des Berggipfels. In drei Richtungen sahen sie die grauen Hügel des Burren, die sich bis in die Ferne erstreckten. Auf der vierten Seite lag die grüne Ebene und dahinter das Meer. Es dauerte nicht lange und ein gewaltiger Steinhaufen tauchte vor ihnen auf. In seiner eigenen Welt war JJ viele Male hier gewesen. Es gab zwei dieser Steinhügel auf nebeneinander liegenden Gipfeln, und sie waren so hoch, dass man sie vom Meer aus sehen konnte. Man hatte dort nie Ausgrabungen durchgeführt, aber man war allgemein der Ansicht, dass es sich um Grabbauten handeln musste, die über den Gräbern von Angehörigen einer frühgeschichtlichen Königsfamilie errichtet worden waren.

Beim Näherkommen bemerkte JJ die Gestalt eines Mannes, der auf der dem Meer zugewandten Seite des gewaltigen Steinhaufens stand.

»Pass auf, was du sagst, bei diesem Typen«, sagte Aengus. »Er ist der Dagda und er hält sich wirklich für einen Gott.«

»Der was?«, fragte JJ.

»Der Dagda«, flüsterte Aengus. »So heißt er.«

»Was bedeutet das?«

»Ich habe keinen blassen Schimmer«, sagte Aengus.

JJ hatte natürlich erwartet, dass Aengus' Vater um einiges älter sein würde als sein Sohn, aber als sie näher kamen, erinnerte er sich wieder an die Methode der Feen, ihre Kinder großzuziehen. Der Dagda sah ganz anders aus; zum einen hatte er einen Bart, und er trug einen schweren wollenen Umhang mit einer großen Goldfibel, aber er schien nur ein paar Jahre älter zu sein als sein Sohn. Er beobachtete sie beim Näherkommen, aber sein Gesicht zeigte keinerlei Regung.

»Hallo, Vater«, sagte Aengus.

»Wer ist der Ploddy?«

»Er heißt JJ«, sagte Aengus. »Aber er ist kein reiner Ploddy. Ein bisschen Magie steckt schon in ihm drin, oder, JJ? Er ist ein toller Fiddlespieler.«

»Hm«, sagte der Dagda und schaute wieder aufs Meer hinaus.

»Vater«, sagte Aengus, fast ein wenig schüchtern kam es JJ vor, »wir haben ein kleines Problem.«

Der Dagda warf in einer theatralischen Geste den Kopf zurück und ließ ein ebenso theatralisches Lachen hören. »Ein kleines Problem?«, sagte er. »Wir sterben alle und er nennt es ein kleines Problem!«

»Wieso sterben?«, fragte JJ.

»Das ist ein wenig melodramatisch, findest du nicht?«, meinte Aengus.

»Natürlich sind wir dabei zu sterben«, blaffte der Dagda. »Genauso sicher, wie der arme Hund da langsam stirbt.«

Bran hatte sie eben erst eingeholt, und JJ musste zugeben, dass er nicht gerade gut aussah. Er brach zu seinen Füßen zusammen und ließ sich gleich auf die Seite ins Gras fallen, wobei ihm die Zunge weit aus dem Maul hing. Er hechelte schnell.

»Es geschieht etwas, was noch nie zuvor geschehen ist«, fuhr der Dagda fort. »Unsere Sonne fällt aus unserem Himmel. Wir sterben, noch während wir hier reden.«

»Na ja, ich finde, Sie sehen eigentlich noch ganz gut aus«, meinte JJ.

Aengus schnitt ihm eine Grimasse und der Dagda schaute sie beide böse an.

»Wo er Recht hat, hat er Recht«, sagte Aengus. »Ihr nennt unser Land das Land der ewigen Jugend. Und wir nennen eure Welt … na ja …«

»Was?«, fragte JJ.

»Wir nennen sie das Land der Sterbenden.«

»Wie nett von euch«, sagte JJ. »Aber viel schlimmer als Ploddy-Land konnte es ja nicht kommen.«

»Ihr sterbt vom Augenblick eurer Geburt an«, sagte der Dagda.

»Das mag stimmen«, sagte JJ, »aber wir sehen das nicht so.«

»Aber es stimmt trotzdem«, sagte der Dagda. »Und jetzt verseucht eure dreckige Zeit …« Er unterbrach sich und deutete mit einer ausladenden Bewegung über die Ebene. »Das alles hier. Alles, was noch von uns übrig ist.«

Es folgte Stille, die nur durch ein erschöpftes Stöhnen des Hundes unterbrochen wurde.

»Alles, was noch von euch übrig ist?«, fragte JJ.

Der Dagda schaute aufs Meer hinaus. Aengus legte eine Hand auf JJs Arm. »Ist es dir nicht aufgefallen?«, fragte er. »Wie wenige wir nur sind?«

JJ *hatte* es bemerkt, irgendwie. Aber er hatte nicht weiter darüber nachgedacht. All die leeren Straßen und leeren Felder und leeren Häuser.

»Was ist passiert?«, fragte er.

»Siehst du das Mahnmal?« Aengus deutete auf den Steinhaufen. In JJs Welt hatte der Hügel einen kleinen Pfad auf einer Seite, wo die Leute bis zur Spitze hochgeklettert waren. Er hatte einmal dort oben mit einem seiner Vettern aus Dublin gepicknickt. Aber hier gab es keinen Pfad. Die Steine sahen ganz unberührt aus, als wären sie eben erst aufgeschichtet worden.

»Ich dachte, es sei ein Grabmal«, sagte JJ.

»Vielleicht ist es das in eurer Welt, aber hier nicht«, sagte Aengus. Er warf einen Blick zum Dagda hinüber und holte dann tief Luft, als würde er zu einer langen Geschichte ansetzen. Aber sie war gar nicht lang.

»Als wir damals mit euren Leuten Krieg führten, vor hunderten, vielleicht tausenden von Jahren, hat jeder von unseren Kriegern einen Stein auf diesen Berg getragen und hier gelassen. Als der Krieg vorbei war, sind die Überlebenden zurückgekommen und haben ihre Steine wieder weggenommen.«

JJ starrte den Haufen an. »Also sind diese Leute ...« Die Ausmaße waren unvorstellbar. Wenn er all diese Steine zählen müsste, wäre er ein Jahr lang beschäftigt.

»Alle tot«, sagte Aengus.

JJ schaute den Dagda an. Tränen rannen ihm die Wangen hinunter in seinen Bart.

»Aber was ist mit den Frauen?«, fragte JJ.

»Bei uns sind auch die Frauen Krieger«, sagte Aengus.

Eine Meile hinter dem Steinhügel, auf dem benachbarten Berggipfel, konnte JJ das zweite Mahnmal erkennen. Außerdem konnte er weiter hinten gerade noch die Spitze eines dritten erkennen. Wenn jener Steinhügel in seiner Welt noch existierte, dann hatte er ihn nie zuvor bemerkt. Gab es hier noch mehr davon? Standen sie entlang der gesamten irischen Küste und warteten für alle Ewigkeit auf die Rückkehr der toten Seelen, die sie errichtet hatten?

»Warum bleiben Sie hier?«, fragte er den Dagda. »Sie wissen doch, dass sie nie mehr zurückkommen werden.«

Der Dagda richtete seinen Blick auf JJ. »Ich war ihr Anführer«, sagte er. »Es ist nicht richtig, dass ich zurückgekehrt bin und sie nicht.« Er wandte sich ab und schaute wieder aufs Meer hinaus. »Wie könnte ich sie verlassen?«

JJ schaute zu Bran hinunter. Er hatte sich ein wenig erholt und lag nun auf dem Bauch, den Kopf auf die ausgestreckten Pfoten gelegt. Seine Augen waren fest auf JJs Gesicht gerichtet, als erwarte er etwas von ihm.

»Ich werde nicht zulassen, dass euer Volk stirbt«, sagte er ruhig. »Und wenn es das Letzte ist, was ich tue, aber ich werde dieses Leck finden und schließen.«

Der Dagda wandte sich ihm wieder zu. »Mein törichter Sohn könnte einmal etwas richtig gemacht haben«, sagte er. »Vielleicht hast du wirklich etwas von den Sidhe in dir. Hol die Fiddle raus und spiel etwas für mich.« Er wandte sich zum Steinhaufen. »Und für sie.«

JJ holte die Fiddle heraus und spannte den Bogen. Er hatte schon bei einigen großen Wettbewerben in Irland gespielt und vor einigen der besten Musiker, die es jemals im Land gegeben hatte. Aber nie war die Herausforderung so groß gewesen wie diese: für die verlorenen Stämme von Tír na nÓg und ihren Anführer und König zu spielen.

Als er das Instrument an die Schulter hob, wurde JJ klar, dass sein Verstand dieser Situation nicht gewachsen sein würde. Er hatte in den vielen Jahren des Musizierens gelernt, wie einem der Verstand in die Quere kommen konnte, wenn er versuchte, sich in die Musik einzumischen. Er schob den Verstand beiseite, spürte die Regung seiner Seele und ließ seine Finger und den Bogen über die Saiten gleiten. Er hatte die langsame Weise bereits einmal durchgespielt, bevor ihm klar wurde, was er da spielte, und er sich erinnerte, woher er es kannte, von seiner Mutter und seiner Großmutter. Als er es zum zweiten Mal spielte, war er sich vollkommen sicher, dass der andere JJ Liddy, sein Urgroßvater, das Lied von den Sidhe gelernt hatte und auch wusste, dass er es von ihnen gelernt hatte. Er hätte es auch jetzt spielen können, soweit JJ das sagen konnte, denn er selbst hatte es nie zuvor auf diese Weise gespielt. Und als er zum Ende kam, war er noch überraschter über sich selbst, als er ein schnelles, schwungvolles Tanzlied anstimmte, dem er gleich noch ein zweites folgen ließ. Er hatte keine Ahnung, wie beide hießen, aber er konnte an dem Lächeln, das sich langsam auf dem bärtigen Gesicht des Dagdas ausbreitete, erkennen, dass er eine gute Wahl getroffen hatte. Er beendete sein Spiel mit einer Verzierung und wartete gespannt auf die Reaktion des Dagdas. Aber der König von Tír na nÓg hatte sein Lächeln seinem Sohn zugewandt.

»Du bist ein Tunichtgut, Aengus«, sagte er. »Du mit deinem ständigen Kommen und Gehen, damit du deinen kleinen Abenteuern nachgehen kannst. Du bist ein Unglück für all die armen Frauen, die dich je zu Gesicht bekommen haben, und schlimmeres Unglück für diejenigen, die dir vertraut haben. Aber heute hast du etwas vollbracht, was ich nicht vergessen werde, solange ich wegen dieser dreckigen Zeit hier sterben werde. Du hast den richtigen Jungen mitgebracht, als du hier hochgestiegen bist.«

»Das mag sein, Vater«, sagte Aengus, und JJ sah den vertrauten Anflug von Wut in seinen Augen aufblitzen. »Aber wenn das so ist, dann war es nicht, damit er hier herumsteht und dir und deinem klapprigen Steinhaufen hier ein paar Liedchen vorspielt!«

Der Dagda ließ einen Schrei ertönen und zog ein kurzes, aber gefährlich wirkendes Schwert unter seinem Umhang hervor. »Ich werde dich lehren, so mit deinem Vater zu reden!«

»Nicht nötig«, sagte Aengus. »Aber das da sieht so aus wie ein nützliches Ding, um das Hinterbein eines Hundes abzutrennen. Wenn du ihn nur bei den Zähnen festhältst, dann nehme ich rasch …«

»Der Hund stirbt doch sowieso!«, brüllte der Dagda.

»Wir sterben alle, Vater. Das hast du selbst uns noch vor zwei Minuten erklärt. Aber wenn wir wüssten, wo das Leck ist, könnten wir diesem Sterben vielleicht Einhalt gebieten.«

Der Dagda ließ den Arm sinken, ohne jedoch das Schwert wegzustecken. Er wandte sich um und schaute wieder einmal aufs Meer hinaus.

»Vater?«, sagte Aengus mit besorgter Stimme, aus der jeder Anflug von Scherz verschwunden war. Der Dagda gab keine Antwort.

»Du weißt es, nicht wahr?«, fragte Aengus. »Natürlich weißt du es. Du bist für die Zeithülle zuständig. Du kennst jeden Zentimeter davon. Wie könntest du das Leck nicht fühlen?«

Der Dagda starrte weiter schweigend über die Ebene.

»Das hat doch keinen Sinn, Vater«, sagte Aengus. »Es ist viel zu spät für dich, um zusammen mit dem Schiff unterzugehen. Du hast sie in ihren Tod geführt und daran lässt sich nichts mehr ändern. Wenn du jetzt dich und uns alle hinterherführst, macht das die Sache nicht besser.«

»Worum ging es denn bei dem Krieg?«, fragte JJ.

Nur mit Mühe konnte Aengus seine Aufmerksamkeit von seinem Vater abwenden. »Götter«, sagte er.

»Götter?«

»Wenn du mich jemals in deiner Welt wiedertriffst, JJ, dann nenne mich nicht bei meinem Namen, verstanden?«

»Warum?«, fragte JJ.

»Er hat Angst, dass du seine wahre Identität enthüllst«, sagte der Dagda.

»Ich habe Angst, dass die Ploddys die falschen Schlüsse ziehen, wie immer«, sagte Aengus. »Und anfangen, über Götter zu reden, die auf die Welt gekommen sind. Darum ging es nämlich in diesem Krieg. Das Christentum kam nach Irland und hatte immer mehr Zulauf bei den Ploddys. Das gefiel meinem Vater nicht. Er bestand darauf, dass er der Gott von Irland sei. Der Rest ist ...« Er deutete auf den Steinhügel.

JJ starrte ihn an und versuchte, die ganze Bedeutung dessen, was Aengus gesagt hatte, zu erfassen. Ein Wind kam vom Meer her, kalt und frisch. Er blähte den Umhang des Dagdas auf romantische Weise auf, aber Aengus war eindeutig nicht beeindruckt.

»Hör auf damit, Dad.«

Der Wind ließ nach.

Aengus fuhr fort: »Wenn du so entschlossen bist, das Schicksal deiner Krieger zu teilen, dann hindert dich nichts daran. Du musst nur auf die andere Seite rübergehen. Aber du musst uns nicht alle mit dir reißen. Wenn du weißt, wo das Leck ist, dann musst du es uns sagen.«

Der Dagda wandte sich an JJ. »Dein Spiel hat mir gefallen, junger Mann. Ich hoffe, du kommst wieder mal vorbei und spielst mir etwas vor.«

Damit war er vom König entlassen. JJ hob den Geigenkasten hoch.

»Dad«, sagte Aengus.

»Mit oder ohne meinen zaubermächtigen Sohn«, sagte der Dagda.

»Wo ist es, Dad?«

Der Dagda schaute Aengus lange und eindringlich an, dann seufzte er tief auf. »Ich weiß es nicht genau. Aber es ist hier in der Nähe. Ich spüre, wie es mir das Leben aus den Knochen saugt. Ich kann es riechen.«

»Wie nahe?«, fragte Aengus.

»Sehr nahe«, sagte der Dagda. »Unter meinen Füßen.«

Aengus atmete erleichtert auf. »Na also«, sagte er. »Dann wollen wir mal sehen, ob wir es finden können.«

Er entfernte sich von seinem Vater und dem Steinhügel. JJ folgte ihm und Bran rappelte sich auf und humpelte hinter ihnen her.

THE MOUNTAIN TOP
Trad

4

»Er geht mir auf die Nerven«, sagte Aengus. Sie kletterten den zerklüfteten Eckfelsen des Berges wieder hinunter. Bran schlitterte und torkelte, unsicherer als je zuvor, hinter ihnen her. »Schuldgefühle, das ist es, was ihn dort oben festhält, weißt du? Es war seine Schuld, dass wir damals fast ausgelöscht wurden. Er mit seiner dummen Einbildung, er sei ein Gott.«

»Ich weiß nicht so recht«, meinte JJ. »Mir scheint, dass einer, der Tore im Meer und im Himmel öffnen und schließen kann, nicht weit davon entfernt ist, ein Gott zu sein. Wer wird das übernehmen, wenn – wenn er stirbt?«

»Wenn er stirbt, wird ihm der Rest von uns bald folgen«, sagte Aengus.

»Ich verstehe nicht, warum du so pessimistisch bist«, sagte JJ. »Wir sind vielleicht Ploddys und so, aber immerhin schaffen wir es seit tausenden von Jahren, mit der Zeit zu leben. Wir haben Kinder und unsere Kinder haben Kinder und so geht es immer weiter. Wenn ihr die Zeit nicht loswerdet, könnt ihr es dann nicht einfach ebenso machen?«

»Darüber habe ich auch schon nachgedacht«, sagte Aengus. »Aber ich weiß nicht, wie das funktionieren sollte. Wir haben keine Erfahrung mit eurer Art zu leben. Selbst wenn wir in eurer Welt aufwachsen, kriegen wir es nicht wirklich mit. Lies die Geschichten und da siehst du es. Wir sind willensschwache, verträumte Kinder, wir leben in unserer eigenen Welt. Und wenn wir erst einmal hier sind, na ja, du siehst ja selbst. Wir machen Musik, wir tanzen, wir gehen im Sonnenschein spazieren.«

»Aber ihr könntet es doch lernen, oder?«

»Lernen, so zu sein wie ihr? Wir mussten nie etwas tun. Wir wissen nicht, wie man Pflanzen anbaut oder Vieh hält oder sonstwie den Lebensunterhalt erwirtschaftet. Wir können nicht für uns selbst sorgen, geschweige denn für unsere Kinder.«

»Ihr könntet es euch von unseren Leuten beibringen lassen«, sagte JJ. »Ich würde euch helfen. Und Anne Korff auch, da bin ich sicher.«

Aengus nickte. »Ich weiß. Aber es gehört noch mehr dazu als das.«

Er sagte nichts mehr und JJ spürte ein gewisses Zögern bei ihm. »Erzähl weiter«, sagte er schließlich.

Aengus warf ihm einen Blick zu. »Wir haben euch über die Jahrhunderte hinweg beobachtet«, sagte er. »Wenn es so weitergeht, dann werden wir mit der Zeit hungrig. Wenn wir nicht mehr hungrig sind, werden wir gierig. Kannst du dir das vorstellen, JJ? Wie wir Sklaven der Zeit werden, getrieben von Gier? Und das Land zerstören, das wir lieben? Fleiß liegt nicht in unserer Natur, verstehst du? Diese zukünftigen Generationen hätten keinerlei Ähnlichkeit mehr mit uns.«

»Müsste es denn so sein?«, fragte JJ. »Könnte es nicht einen anderen Weg geben?«

»Wenn es ihn gibt«, sagte Aengus, »dann habt ihr ihn jedenfalls nicht gefunden.«

Am Rande des Haselwäldchens blieben sie stehen, damit Bran aufholen konnte. Es ging ihm zunehmend schlechter. JJ wünschte, er hätte etwas für ihn tun können.

Die Sonne war deutlich gesunken, seit JJ sie zuletzt bemerkt hatte, und das Licht bekam eine goldene Färbung. Er schaute über die friedliche grüne Ebene.

»Was meinte der Dagda, als er dir vorgeworfen hat, du würdest deinen kleinen Abenteuern nachgehen?«, fragte er Aengus.

Aengus spuckte verächtlich aus. »Ich bin öfter mal zu euch rübergegangen, um mich umzuschauen, das ist alles. Das Problem ist, dass man sich oft nicht recht erinnert, was man dort gemacht hat.«

»So was hat Anne Korff auch gesagt«, sagte JJ. »Woran liegt das?«

»Keine Ahnung«, meinte Aengus. »Hat was mit dem Zeitschock für das Gehirn zu tun, vermute ich. Es kann passieren, dass man alles etwas verschwommen wahrnimmt.« Er schüttelte den Kopf. »Trotzdem reichlich dreist von ihm, mir meine kleinen Abenteuer vorzuwerfen. Ich bin schließlich nicht derjenige mit dem Gottkomplex!«

»Er tut mir Leid«, sagte JJ.

»Er wäre hocherfreut, das zu hören«, sagte Aengus. »Sag es ihm, wenn du ihn das nächste Mal triffst.«

»Aber es ist wirklich schrecklich, was mit eurem Volk passiert ist.«

»Ja, wirklich entsetzlich«, sagte Aengus. »Aber es ist geschehen. Nichts kann es mehr ändern. Es ist zu spät, wenn der Dagda nun beschließt, dass es kein toller Einfall war.«

»Und was sollte er deiner Meinung nach tun?«

Aengus lächelte. »Du solltest meinen Vater mal tanzen sehen, JJ. Er sollte von seinem Berggipfel runtersteigen und mit seinem Volk leben.« Er dachte einen Moment nach und fügte dann hinzu: »Oder mit ihm sterben.«

JJ war ärgerlich auf Aengus. Es war ja schön und gut, den Dagda zu verspotten und die Ploddys zu kritisieren und sie wegen ihrer Gier anzuklagen. Aber was gab ihm und den anderen hier das Recht, in endloser Glückseligkeit herumzuschweben, während sich die Menschen auf der anderen Seite der Zeithülle abrackerten und starben und alle Mühsal erlitten, die mit der Sterblichkeit verbunden waren?

Aber das Leck betraf ja nicht nur Tír na nÓg. Er hatte fast vergessen, warum er eigentlich hergekommen war. Wenn die Zeit hier immer schneller lief, was mochte wohl dort drüben passieren?

Er schaute auf die Uhr. Viertel vor sieben. Noch ein Weilchen und diese Welt stünde der seinen an Geschwindigkeit in nichts nach.

»Wir müssen etwas unternehmen«, sagte er.

»Das Leck«, sagte Aengus.

Sie ließen den Blick über die felsübersäten Abhänge unter ihnen schweifen. Es gab keinerlei deutlichen Hinweis, welche Richtung sie einschlagen sollten.

»Würde es dir etwas ausmachen, wenn wir dort hinuntergingen?«, fragte JJ. »Da unten zwischen den Bäumen liegt unser Haus. Ich würde gerne sehen, wie es hier aussieht.«

»Meinetwegen«, sagte Aengus. »Ich habe sowieso keinen besseren Vorschlag.«

Sie gingen den steilen Hügel hinab auf den Hof zu. Genau dieser Hügel war zu Hause ihre Winterweide, aber hier gab es keine Mauern, und obwohl JJ einzelne Felsen und einige Formen des Landes wieder erkannte, war er ein wenig desorientiert und wusste nicht genau, wo er war.

Auf halber Strecke zum Haus hinunter blieb er stehen und

schaute zurück. Er versuchte, seinen Standort in der Landschaft zu bestimmen. Das war es. Hier war das Feld noch nicht geräumt und die Felsbrocken noch nicht von Bulldozern beiseite geschoben worden. Sie waren schon an der oberen Weide mit dem Ringfort vorbeigegangen, aber hier lagen, wie auf vielen anderen Feldern auch, noch überall die Felsen herum.

Jetzt wusste er, wo er war, aber es fehlte noch etwas.

»Wo ist Bran?«

Aengus blieb stehen und schaute sich um. »Ich weiß es nicht.« Er rief nach ihm.

JJ rief ebenfalls. »Bran? Hierher, mein Junge.«

Sie warteten, aber der Hund kam nicht.

»Oh nein«, sagte JJ. »Ich hoffe, er hat nicht aufgegeben.«

»Er könnte irgendwo feststecken«, sagte Aengus. »Sind wir über irgendwelche großen Felsen geklettert?«

»Ich glaube nicht«, sagte JJ. »Ich gehe lieber mal zurück und schaue nach ihm.«

»Ich warte hier auf dich«, sagte Aengus.

King of the Fairies
Trad

5

Ciaran hatte versucht, Helen die Idee mit dem Céilí wieder auszureden, aber sie blieb standhaft. Außerdem hatte sie die volle Unterstützung ihrer Tochter. Marian würde aber dieses Mal nicht tanzen. Sie war bereit, JJs Platz an der Seite ihrer Mutter einzunehmen.

Die Zeit raste noch immer für sie alle. Sie machten keinen Versuch, sich durch irgendeine Art von Zerstreuung von JJs Abwesenheit abzulenken, aber dennoch flogen ihre Tage mit unglaublicher Geschwindigkeit vorbei. Es war fast, als würden die Stunden von einer Art riesigem verborgenen Vakuum weggesaugt. Und mit jeder Stunde, die verging, schwand die Hoffnung, dass JJ zurückkehren würde.

Sergeant Early hatte den neuen Polizisten abgeschrieben. Er war seit Tagen nicht mehr aufgetaucht. Es kam ihm flüchtig in den Sinn, dass es sich hier um eine weitere verschwundene Person handeln könnte, aber er war nicht bereit, dies näher zu untersuchen. Wenn O'Dwyer verschwunden war, so hatte er zumindest eine Sorge weniger.

Im Fall der anderen vermissten Personen kamen sie einfach nicht weiter. Widerstrebend hatte er akzeptieren müssen, dass auch Anne Korff in diesen Kreis aufgenommen werden musste. Es war jetzt mehr als vierzehn Tage her, dass sie ihr Haus abgeschlossen hatte und fortgegangen war. Und sie hatte bislang zu niemandem Kontakt aufgenommen. Man hatte eine Spezialeinheit aus Dublin hinzugezogen und die ganze Runde der Tür-zu-Tür-Befragungen war wiederholt worden. Nichts; absolut nichts war dabei herausgekommen.

Als Garda O'Dwyer plötzlich zur Arbeit erschien, gerade noch rechtzeitig zur Nachtschicht, hielt ihm Sergeant Early eine Standpauke. O'Dwyer ließ den Sturm der Entrüstung über sich ergehen, indem er die Wand anstarrte und von hundert rückwärts zählte. Das war gut für den Sergeant, der keine Ahnung hatte, was der neue Polizist mit ihm hätte machen können, wenn er wütend geworden wäre. Als die Tirade endlich vorbei war, schaltete Larry wieder auf Empfang und nahm die Anweisungen entgegen, die der Sergeant ihm für die Nacht erteilte. Beim Verlassen des Büros sagte er zu ihm: »Wie ich höre, spielen Sie Banjo. Ein wunderbares Instrument. Wir müssen unbedingt mal zusammen spielen.«

Er wurde in Gort eingesetzt, für die »Happyhours«, nachdem die Pubs schlossen. In der Stadt gab es ein paar raue Gesellen und in dieser Nacht wurde er gehörig auf Trab gehalten. Larry hatte nichts gegen die eine oder andere schwierige Festnahme oder sogar Handgreiflichkeit einzuwenden, obwohl ihm mehrere bessere Arten einfielen, wie man mit den Schurken fertig werden könnte. Allerdings war das, soweit er sich erinnern konnte, nicht der Grund, warum er Polizist geworden war.

Helen wurde von ihrem Geburtstag überrascht. Sie gab sich solche Mühe damit, einfach weiterzuleben, dass sie ihn ganz vergessen hatte. Ciaran und Marian weckten sie mit Frühstück am Bett und einem Berg von Geschenken, der so groß war, dass sie eine halbe Stunde brauchte, um alle zu öffnen. Sie drängten sie, im Bett liegen zu bleiben, während sie sich um die morgendlichen Pflichten kümmerten, aber sie musste aufstehen, als Freunde mit weiteren Geschenken vorbeikamen.

Ciaran kochte das Mittagessen. Hinterher verkündete er, dass sie alle ins Kino nach Ennis fahren und anschließend in Helens Lieblings-Chinarestaurant essen gehen würden. Der Tag flog nur so vorbei, und Helen ließ sich, so gut es ging, auf die Festtagsstimmung ein, aber alle wussten, dass ihr Vergnügen hohl war, solange sie es nicht mit JJ teilen konnte. Als sie ins Kino aufbrechen wollten, sagte sie: »Und was ist, wenn er zurückkommt, und es ist keiner hier?«

»Dann wartet er«, sagte Ciaran. »Was sollte er sonst tun?«

Aber damit gab sich Helen nicht zufrieden. Bevor sie gingen, schrieb sie ihm einen Zettel und legte ihn auf den Küchentisch.

The Angry Peeler
Trad
5
9
13

6

JJ ging den Weg zurück, den er quer über den Hügel gekommen war. Wieder und wieder rief er nach Bran, aber der Hund kam nicht, und einen grauen Hund in einer vornehmlich grauen Umgebung auszumachen, erschien als schier unmögliches Unterfangen.

Er konnte aber nicht so weit weg sein. Am Fuß der Steinstufen war er noch bei ihnen gewesen, und JJ war ziemlich sicher, dass er anfänglich noch mit ihnen zusammen den Hügel hinuntergegangen war. Er war also sicher, dass er das Tier, tot oder lebendig, finden würde, wenn er nur lange genug suchte.

Unter weiterem Rufen kletterte er zum Rand des Haselwäldchens hinauf und schaute hinein. Dort drinnen war es schattig und dunkel, und auch wenn JJ nichts sehen konnte, was einer Ziege ähnelte, hatte er nicht die Absicht, ohne Aengus dort hineinzugehen.

»Bran? Bran!«

Aber selbst wenn Bran in dem Haselwäldchen steckte, er kam jedenfalls nicht heraus.

Von seinem Aussichtspunkt schaute JJ über den Hügel hinab zurück. Trotz des allgemeinen Graus war er sich ziemlich sicher, dass Bran nirgends zu entdecken war. Auch Aengus Óg war nicht zu sehen, und JJ nahm an, dass er bis zum Haus weitergegangen war. Soweit JJ erkennen konnte, gab es nur eine Stelle, an der Bran seinem Blick verborgen sein konnte, und das war im Ringfort. Dessen Umrisse waren deutlich zu erkennen, aber JJ konnte in der direkten Umgebung nichts sehen, weil sie mit Stechpalmen und Weißdorn bewachsen war. Er ging dort hinunter und stieg über den niedrigen Rand aufrecht stehender Steine.

Der Hund war noch immer nirgends zu entdecken. JJ ging zwischen den Bäumen hindurch und rief dabei Brans Namen. Das Innere der Anlage war genauso wie bei ihm zu Hause; jeder Baum und jeder Stein. Aber als er in die Mitte kam, bemerkte JJ einen wesentlichen Unterschied. Wo in seiner Welt nur ein Steinhaufen auf der Oberfläche zu sehen war, gab es hier eine Stelle, wo ein flacher Stein seitwärts gerutscht zu sein und auf der Kante zu hängen schien, fast als wäre es eine Tür an einem Scharnier. Darunter war ein tiefes Loch. JJ kniete nieder und schaute hinein. Unter dem flachen Stein weitete sich das Loch aus. Es war zweifellos der Eingang zu einer Erdkammer.

Als er hineinschaute, konnte JJ Geräusche hören, gedämpft durch den weiten Weg aus der Tiefe der Erde. Er rutschte in das Loch hinunter und bemerkte dabei die frischen Spuren von Hundekrallen und einen feuchten Schmierfleck von Blut.

»Bran?«

Er horchte und konnte jetzt deutlicher das tiefe, drohende Knurren eines Hundes und eine wütende Männerstimme vernehmen. JJ durchfuhr ein kurzes Schaudern. Dort unten in der Dunkelheit war etwas, dem er nicht überstürzt nachgehen wollte. Er krabbelte zurück ins Freie und rannte an den Rand der Anlage.

Er konnte Aengus nirgends sehen. Er rief dessen Namen,

der eine Weile zwischen den Felsen hin und her klang, jedoch Aengus, wo immer er stecken mochte, offenbar nicht erreichte. JJ rief noch einmal, lauter. Keine Antwort.

JJ hatte Angst. Er wusste nicht weiter und Aengus Óg hatte sich aus dem Staub gemacht. Ohne eine klare Vorstellung, was er nun tun sollte, ging er zum Einstieg der Erdhöhle zurück. Dort unten in der Dunkelheit knurrte Bran noch immer. Eine scharfe Stimme und ein Bellen waren zu hören, dann ein Augenblick der Stille, dann hörte er den Hund wieder knurren.

»Bran!« Er wartete. Bran wollte nicht kommen. Warum war er dort hinuntergegangen und wen hatte er dort gefunden?

Der Hund war ihm so entschlossen gefolgt, wo auch immer er in Tír na nÓg hingegangen war. Ihm, nicht Aengus. Er wusste nicht, warum, aber er war sich sicher, dass sich das Tier ihm absichtlich angeschlossen hatte, sobald es ihm auf der Hauptstraße des Dorfes begegnet war. Es war nicht verständlich, warum Bran auf sein Rufen nicht reagierte.

Es sei denn, er konnte es nicht. Dieser Gedanke, die plötzliche Vorstellung, dass Bran in Gefahr sein könnte, war es, was JJ dazu brachte, seine eigene Furcht zu überwinden. Mit unsicherer Hand öffnete er den Reißverschluss seiner Innentasche und nahm die Kerze und die Streichhölzer heraus.

Die helle Flamme vor seinem Gesicht blendete ihn, während er sich durch das enge Einstiegsloch zwängte. Es wäre ein Leichtes gewesen, ihn mit irgendetwas niederzuschlagen, als er den Kopf auf der anderen Seite hinausstreckte, aber nichts passierte. Der erste Raum war leer; die einzige Bewegung stammte von den flackernden Schatten, die seine Kerze hervorrief. Doch die Geräusche waren schon deutlicher, und als er durch den langen, schmalen Raum ging, verstand er einzelne Worte.

»Los! Geh zurück! Raus hier!«

Bran war also der Angreifer. Aber warum? Wen bedrohte er? JJs Angst wich immer mehr der Neugier. Der Hund war in einem schlechten Zustand, aber, wie Aengus schon bemerkt hatte, mit seinen Zähnen war alles in Ordnung. So schwach er auch war, er würde es nicht zulassen, dass jemand JJ etwas antat, solange er seine Zähne benutzen konnte.

JJ kniete nieder und zwängte sich in die zweite Kammer. Im Licht seiner Kerze erkannte er die kräftige Gestalt des Wolfshundes gleich neben dem Eingang. Er wankte und schwankte und konnte sich kaum auf den Beinen halten, aber sein Knurren war wild genug, um von jedem, der es hörte, ernst genommen zu werden. Der Hund hatte JJs Ankunft noch nicht bemerkt, und obwohl er ihn kannte, zögerte JJ, die Hand nach dem Tier auszustrecken. Brans Aufmerksamkeit war ganz und gar auf die entgegengesetzte Ecke der Erdkammer gerichtet, wo ein Mann stand.

»Ruf deinen Höllenhund zurück!«, schrie er.

JJ hielt seine Kerze hoch und ließ sie vor Überraschung fast wieder fallen. Der Mann trug schwarze Kleider und den weißen Kragen eines Geistlichen. Aus Gründen, die nur ihm selbst bekannt waren, war Bran in ein Kräftemessen mit einem Priester geraten.

The Priest with the Collar
Trad

7

»Ruf ihn zurück!«, sagte der Priester.

JJ hatte Bran noch nie einen Befehl erteilt. Zum einen, weil es nicht sein Hund war. Zum anderen war er ein Jahrtausend oder zwei vor ihm geboren, und was diese Tatsache hinsichtlich des Rechts des Älteren bedeutete, hatte er sich noch nicht richtig überlegt. Aber er verstand, warum sich der Priester so aufregte. Der Hund wirkte äußerst aggressiv.

»Bran!«, sagte er. »Stopp!«

Das Tier warf ihm einen Blick zu und ließ sich – vor Erleichterung oder Resignation – auf den Bauch fallen. Sein Knurren wurde leiser und erstarb dann ganz, aber er ließ den Priester nicht aus den Augen.

»Schick ihn raus«, sagte er.

JJ überdachte die Lage. Der Priester war ein älterer Mann, mindestens über sechzig. Er sah bei weitem eher verängstigt als angsteinflößend aus und JJs Neugier war stärker als seine Bedenken.

»Hinaus, Bran«, sagte er so überzeugend wie möglich. Der Hund schaute ihn mit bittenden Augen an.

»Wirklich, Bran, hinaus!«

Bran war entsetzlich schwach. Er schaffte nicht mehr, als sich mühsam aufzurappeln und dann langsam durch das niedrige Eingangsloch zu wanken. JJ hörte das Klicken seiner Krallen auf den Steinen und das leise Ächzen, als er sich auf der anderen Seite der Wand niederlegte. JJ hob die Kerze und trat in die Mitte des Raumes.

»Wer bist du?«, fragte der Priester.

JJ gab keine Antwort. Sein Blick war an etwas hängen geblieben, was seine Aufmerksamkeit weckte. Hinter der schemenhaften Gestalt des Priesters ragte etwas auf Höhe seiner Hüfte aus der Wand. Auf den ersten Blick sah es aus wie ein Stock oder ein Ast, aber JJ konnte selbst bei dem schwachen Licht, das die Kerze des Priesters verbreitete, erkennen, dass es das nicht war. Es war zu gleichmäßig und glatt; jemand hatte ihm diese Form gegeben. Es war hohl und hatte ein Loch an der Seite. Mehr als eins.

Es war eine Flöte.

Die plötzliche Einsicht in die Zusammenhänge fühlte sich wie ein Erdrutsch in JJs Kopf an. Er wusste, wessen Flöte das war und wer sie gemacht hatte. Er wusste, wer der Priester war, und kannte sogar seinen Namen. Und er wusste auch, wie die Zeit nach Tír na nÓg hineinströmte. Die Zeithülle schloss sich ganz dicht um den Körper der Flöte herum, aber die Flöte war hohl. Die Membran konnte das Innere nicht erreichen.

Instinktiv wollte JJ die Flöte herausziehen. Er tat einen Schritt nach vorne, aber der Priester trat zur Seite und versperrte ihm den Weg.

»Wer bist du?«, fragte er wieder.

JJ war versucht, ihn einfach zu überrumpeln. Er war sicher, dass es ihm gelingen würde. Er konnte die Flöte packen und damit verschwinden, bevor der ältere Mann ihn daran hindern konnte. Selbst wenn es zu einem Kampf käme, würde er vermutlich als Sieger hervorgehen. Aber etwas hielt ihn zurück. Sein Urgroßvater, der erste JJ Liddy, hätte genau das tun können vor all den Jahren. Er hatte es nicht getan und auch JJ würde es nicht tun. Er würde einen anderen Weg finden.

»Bist du taub?«, fragte Father Doherty.

»Nein. Ich heiße JJ.« Und er wusste genau, dass er die Situation lieber nicht noch komplizierter machen sollte, indem er den Namen seines Urgroßvaters nannte. »JJ Byrne«, fügte er hinzu.

»JJ Byrne«, sagte der Priester und musterte ihn eindringlich. JJ bemerkte, dass er besonders seine blauweißen Sportschuhe betrachtete. »Das ist ein komischer Name für einen aus dem Feenvolk.«

»Das wäre es«, sagte JJ. »Aber ich gehöre nicht zum Feenvolk.«

»Aber du benimmst dich so«, blaffte der Priester.

»Tut mir Leid, Father«, sagte JJ. Er ging jeden Sonntag mit seinen Eltern in die Kirche und hatte normalerweise viel Respekt vor Priestern, aber nicht vor diesem hier.

»Wenn du nicht zum Feenvolk gehörst, was machst du dann hier?«

JJ überlegte scharf. Er hatte nicht die Absicht, Father Doherty zu verraten, warum er hier war. Und zu sagen, dass ihm eine ortsansässige Verlegerin den Weg nach Tír na nÓg gezeigt hatte, klang auch nicht übermäßig überzeugend. Ein lautes Stöhnen von Bran auf der anderen Seite des Durchgangs brachte ihn auf die Idee.

»Ich bin meinem Hund in ein Loch hinuntergefolgt«, sagte er. »Und jetzt suchen wir den Weg nach Hause.«

Father Dohertys Reaktion war unerwartet. Er tat einen Schritt auf die Wand zu, legte besitzergreifend die Hand auf das Ende der Flöte und deutete in Richtung der Ecke. »Na dann, raus mit euch.«

JJ klammerte sich an einen Strohhalm. »Aber das ist doch eine Steinmauer«, sagte er.

Der Priester lächelte. »Es sieht aus wie eine Steinmauer, aber das ist es nicht. Hab Vertrauen, Kind. Glaub mir.« Als JJ noch immer zögerte, fuhr er fort: »Du glaubst vielleicht, dass du auf der anderen Seite nicht herauskommst, aber das wirst du. Vor dem Eingang befinden sich große Steine, aber in einer Ecke liegt nur eine leichte Steinplatte. Hier war auch eine, aber ich vermute, dass dein Hund sie verschoben hat. Du wirst feststellen, dass sie sich ganz leicht hochheben lässt, und dann hast du reichlich Platz zum Rausklettern.«

JJ fühlte sich in der Falle. Er konnte immer noch die Flöte packen und sie dem Priester entwinden, aber das musste die Notlösung bleiben.

»Aber was ist mit Ihnen, Father?«, fragte er. »Was machen Sie hier unten?«

Father Doherty lächelte und setzte sich auf einen großen Stein neben der Wand. Seine Hand lag noch immer auf der Flöte, und JJ hatte den Eindruck, dass er an diese Haltung sehr gewöhnt war, als hätte er viel Zeit damit verbracht, so zu sitzen.

»Ich muss noch ein wenig bleiben«, sagte er, »aber auch ich werde bald von hier fortgehen.«

»Warum müssen Sie noch bleiben?«, fragte JJ. »Was machen Sie da mit der Flöte?«

Father Doherty lächelte, mehr in sich hinein, nicht so sehr auf JJ gerichtet. »Geniale Idee, nicht wahr? Die Flöte zu benutzen. Ich vollende hier mein Lebensziel, JJ Byrne. Ich befreie Irland von den Feen und ihrer heimtückischen Art. Für immer.«

»Warum?« JJ wollte, dass der Priester weiterredete, während er überlegte, was zu tun war. Das stellte sich als erstaunlich einfach heraus.

»Sie waren über Generationen ein Fluch für das Leben in Irland. Sie bringen die Leute um den Verstand mit ihrer Musik und ihren Tänzen und ihrem verschlagenen Wesen. Bist du nicht auch meiner Meinung?«

»Ich weiß zu wenig über sie, Father. Aber ich bin sicher, dass Sie Recht haben.«

»Sie haben die Iren in ein faules Volk von Tagträumern mit heidnischem Aberglauben verwandelt. Sie haben sogar unser Blut verunreinigt. Wusstest du das, JJ?«

»Das wusste ich nicht, Father.«

»Sie stehlen unsere Kinder und legen ihre eigenen Blagen in die Wiegen. Und das ist nicht das Schlimmste. Sie mischen sich unter uns, JJ, am helllichten Tage. Ihre Männer verdrehen unseren Mädchen mit ihrer verführerischen Art den Kopf und lassen sie dann alleine die Folgen ihrer Todsünden tragen.«

JJ war nicht sicher, ob er das Letzte richtig verstanden hatte. Der Priester klärte ihn auf.

»Kinder, die außerhalb einer Ehe geboren werden, mein Sohn. Es gibt Menschen unter uns, die etwas von dem Blut der Sidhe in sich tragen.«

Er schwieg einen Augenblick und starrte gedankenverloren in die Flamme seiner Kerze, die in einer Wachslache auf dem Boden stand. »Ich habe eine Vision für Irland«, fuhr er fort. »Ich sehe eine gottesfürchtige katholische Nation, voller fleißiger Bürger, von denen jeder Einzelne entschlossen ist, die alten Schwächen abzulegen. Ich sehe ein Irland, wo jedermann ein Auto hat und versucht, seine Lage und die seiner Familie zu verbessern, statt die Tage damit zu verschwenden, Kartoffeln anzubauen, und die Nächte mit Trinken und Tanzen. Ich sehe ein Irland, das Wohlstand erreicht hat und den ihm zustehenden Platz unter den großen Staaten Europas einnimmt.«

»Aber all das ist doch bereits geschehen«, sagte JJ.

»Schon?«, sagte Father Doherty.

»Sie sollten Irland heute sehen, Father. Keiner sieht mehr Feen. Keiner glaubt mehr an sie.«

»Sagst du mir auch die Wahrheit?«, sagte der Priester.

»Das tue ich, Father«, sagte JJ. Er hatte nicht das Gefühl zu lügen. Das meiste von dem, was Father Doherty sich erträumt hatte, war eingetreten.

»Ich hätte nicht gedacht, dass es so schnell passiert«, sagte der Priester. Er schaute JJ wieder prüfend an und sein Blick blieb schließlich an seinen Sportschuhen hängen. »Welches Jahr haben wir, mein Sohn?«

»Zweitausendundsechs, Father.«

Die Augen des Priesters blickten ins Leere. »Zweitausendundsechs«, wiederholte er, und JJ spürte Traurigkeit in seiner Stimme. »Wer hätte gedacht, dass die Zeit dort drüben so schnell vergehen könnte.«

»Also müssen Sie vielleicht gar nicht länger bleiben?«, fragte JJ.

Aber Father Doherty schüttelte den Kopf. Er zog eine große Taschenuhr hervor und hielt sie ins Licht. »Noch drei Stunden«, sagte er. »Mehr brauche ich nicht.«

»JJ?«

Der Priester und der Junge erstarrten, und ihre Blicke verschmolzen ineinander, als die Stimme durch die leeren Erdkammern klang.

»Wer ist das?«, flüsterte der Priester.

»Aengus Óg«, sagte JJ, dem nichts anderes einfiel.

»Sorg dafür, dass er draußen bleibt!«, flüsterte Father Doherty drängend.

JJ krabbelte duch den ersten Durchgang und rief durch den nächsten nach draußen: »Ich bin hier, Aengus. Ich komme gleich raus. Warte draußen auf mich.«

Wieder zurück flüsterte er Father Doherty zu: »Warum brauchen Sie noch drei Stunden?«

Der Priester hatte offenbar große Angst vor Aengus Óg. Seine Stimme zitterte, als er anwortete. »Nacht. Ich muss warten, bis es Nacht wird.«

»Warum?«

Father Doherty ließ die Flöte los und machte eine rasche, ziehende Geste darüber. »Ich ziehe sie raus.«

JJ starrte ihn an und versuchte, die Bedeutung dessen zu begreifen, was er da hörte.

»Die Zeit bleibt wieder stehen«, fuhr er fort. »Für immer. Ewige Nacht in Tír na nÓg.« Er lachte, was nicht einfach ist, wenn man gleichzeitig ängstlich flüstert. »Das wird ihnen den Garaus machen, glaubst du nicht auch?«

JJ wusste nicht, was er glauben sollte. »Aber Father, dann kommen sie doch bestimmt alle in unsere Welt hinüber.«

»Vielleicht«, sagte der Priester. »Aber dann sterben sie genauso, wie du und ich sterben werden. Und dann werden sie sich vor ihrem Schöpfer verantworten müssen für ihre jahrhundertelange Sündhaftigkeit.«

»JJ?« Aengus klang diesmal näher.

»Sag ihm, er soll draußen bleiben.«

»Das kann ich nicht, Father«, sagte JJ, einer plötzlichen Eingebung folgend. »Ich glaube, dass Ihre Uhr nachgeht.«

»Was?«

»Es ist bereits dunkel, Father.«

»Wirklich?«

»Sehen Sie.« JJ drückte auf den Zeitzonenknopf an seiner Uhr und hoffte, dass es klappen würde. Er hielt sein Handgelenk in die Nähe der Kerze. Es hatte funktioniert. Er hielt dem Priester die Uhr hin. »Es ist Viertel nach elf.«

»Gott sei gedankt«, sagte Father Doherty.

»Was machst du da drin?« Aengus war vor dem Durchgang. Noch einen Augenblick und er wäre bei ihnen.

»Rasch«, sagte Father Doherty. »Folge mir.«

Er zog die Flöte aus der Membran, hielt einen Augenblick inne, um sich zu bekreuzigen, und trat dann hindurch. Im letztmöglichen Moment packte JJ die Flöte, darauf vorbereitet, sie festhalten zu müssen. Aber als sich die Zeithülle hinter dem Priester wieder schloss, war am anderen Ende nur ein kurzer Widerstand zu spüren, der gleich verschwand. JJ hielt die Flöte seines Urgroßvaters in den Händen.

Das Zeitleck war zum Stillstand gekommen.

After the Sun Goes Down
Trad

TEIL 5

1

IM Chinarestaurant empfand Helen eine plötzliche Erleichterung, so als wäre ihr auf einmal ein Gewicht, das seit Jahren auf ihr lastete, abgenommen worden. Sie holte tief Luft und schaute die anderen an. Die warfen ihr ebenfalls fragende Blicke zu, als hätten auch sie etwas verspürt. Alle drei seufzten tief auf und entspannten sich auf ihren Stühlen. Und wenn man sich im Restaurant umsah, konnte man beobachten, dass andere dasselbe taten.

Sie hatten befürchtet, dass sie keine Zeit mehr haben würden für ein anständiges Essen, bevor sie zum abendlichen Melken wieder nach Hause mussten, aber als Ciaran auf die Uhr schaute, sah er, dass noch reichlich Zeit blieb.

»Will jemand Nachtisch?«, fragte er.

Landauf und landab in Irland und weit, weit darüber hinaus breitete sich dasselbe Gefühl von Erleichterung aus. Diejenigen, die sich für Synchronizität und ähnlich schwer fassbare Dinge interessierten, würden noch jahrelang von diesem Tag sprechen. Aber auch denjenigen, die zu solchen Themen nichts zu sagen hatten, entging es nicht, und selbst die Wissenschaftler hatten etwas dazu beizutragen. Da sie bislang noch keine Bekanntschaft mit der Existenz von Tír na nÓg und der potenziell vernichtenden Wirkung von Querflöten gemacht hatten, bewiesen sie, dass eine Veränderung in der Geschwindigkeit der Zeit ohne den geringsten Zweifel weit außerhalb aller Möglichkeiten lag. Sie erklärten alles mit dem undurchsichtigen »Hundredth Monkey«-Phänomen; es sei eine unerklärliche, aber willkommene Veränderung in der Psyche der Spezies Mensch. Und so gerne es der eine oder andere auch gehabt hätte, es ließ sich auf keinen Fall leugnen, dass eine Veränderung stattgefunden hatte. Sie bemerkten, ebenso wie der Rest der Weltbevölkerung, eine ebenso plötzliche wie dramatische Zunahme von Zeit in ihrem täglichen Leben.

Alle gewöhnten sich schnell daran, obwohl nur wenige die albtraumhaften Tage in der Vergangenheit vergaßen, als die Stunden wie Flocken in einem Schneesturm vorbeigeflogen waren. Keiner verstand mehr, wie man es hatte geschehen lassen können. Es war doch reichlich Zeit vorhanden. Es musste immer reichlich Zeit gegeben haben. Man war nur falsch damit umgegangen, das war alles. Die Erwachsenen ließen alte Hobbys wieder aufleben oder kehrten zu vergessenen Kindheitsbeschäftigungen zurück. Handgestrickte Pullover, Handschuhe und Schals kamen wieder in Mode. In den Betrieben wurde wieder termingerecht gearbeitet, teilweise zum ersten Mal überhaupt. Und sowohl Angestellte als auch Manager entdeckten, dass es in ihrem Leben Platz für Familie und Beruf gleichermaßen gab.

Die Kinder stellten fest, dass die Zeit an einem Tag ja doch noch für mehr reichte als für Schule, Hausaufgaben und Abwaschen. Es blieb Zeit, um Bücher zu lesen und danach noch fernzusehen. Es blieb Zeit, um an den Landsträßchen herumzustreunen; Zeit, Knackebeeren zerplatzen zu lassen und die Köpfe von Brennnesseln abzuschlagen, Zeit, die großen weißen Blüten der Ackerwinde aus ihrem kleinen grünen Bett zu drücken. Es blieb Zeit, um Matsch mit Orangensaft zu mischen, um zu sehen, was dabei herauskam, Zeit, in Pfützen zu stehen und zuzusehen, wie einem das Wasser oben bei den Schuhen hineinlief. Sie hatten Zeit, im Regen draußen zu bleiben, bis sie sehr, *sehr*, SEHR nass waren. Und all das störte niemanden, weil ihre Eltern jetzt genug Zeit hatten, ihnen heiße Milch zu machen und ihnen warme Schlafanzüge anzuziehen und ihnen eine Gutenachtgeschichte zu erzählen, die dauerte und dauerte und dauerte, bis sie schließlich Teil ihrer Träume wurde.

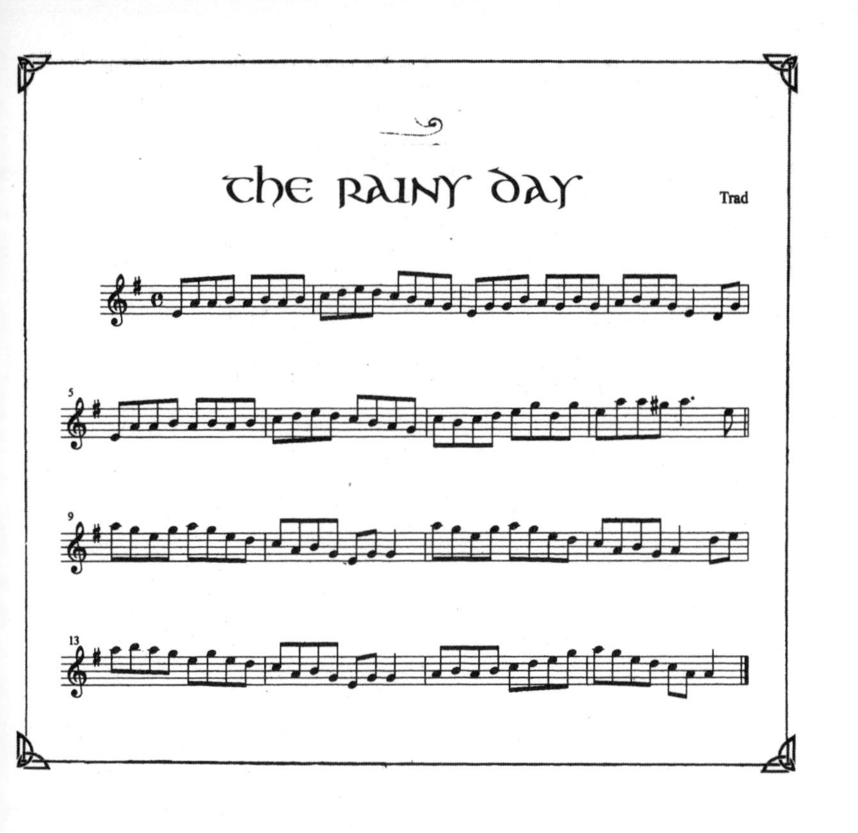
The Rainy Day
Trad
5
9
13

2

In Tír na nÓg waren die Auswirkungen nicht weniger dramatisch. Am Kai spürten die Musikanten die Verschiebung und hörten auf zu spielen. Die Tänzer schauten zum Himmel hinauf, dann schauten sie sich gegenseitig an und ließen einen Schrei der Begeisterung hören. Die Musik setzte wieder ein, aber Anne Korff dachte an den Rat, den sie JJ Liddy auf seinem Weg nach Tír na nÓg gegeben hatte, und hoffte, dass er ihn nicht vergessen würde. Sie hoffte, dass auch sie selbst ihn nicht vergessen würde. Sie riss sich nicht ohne Schwierigkeiten von der hochgestimmten Menge los und machte sich auf den Heimweg. Doch unterwegs traf sie auf der Dorfstraße Séadna Tobín, der dort auf dem Gehweg stand und lachend den Alchemieladen betrachtete. Er hatte, wie sie bemerkte, seine Geige bei sich. Es wäre nett, in Gesellschaft nach Hause zu gehen. Und wenn er zuerst noch das eine oder andere Stückchen spielen wollte, was tat das schon?

Als sie zum Kai zurückgingen, kam ihnen die Ziege entgegen, und Devaney war nicht weit hinter ihr.

»Schneidet ihr den Weg ab, bitte«, rief er, aber es war schon zu spät. Sie war zwischen ihnen hindurchgeschlüpft und rannte die Straße hinauf, wobei ihre zierlichen Hufe auf dem Kopfsteinpflaster trommelten.

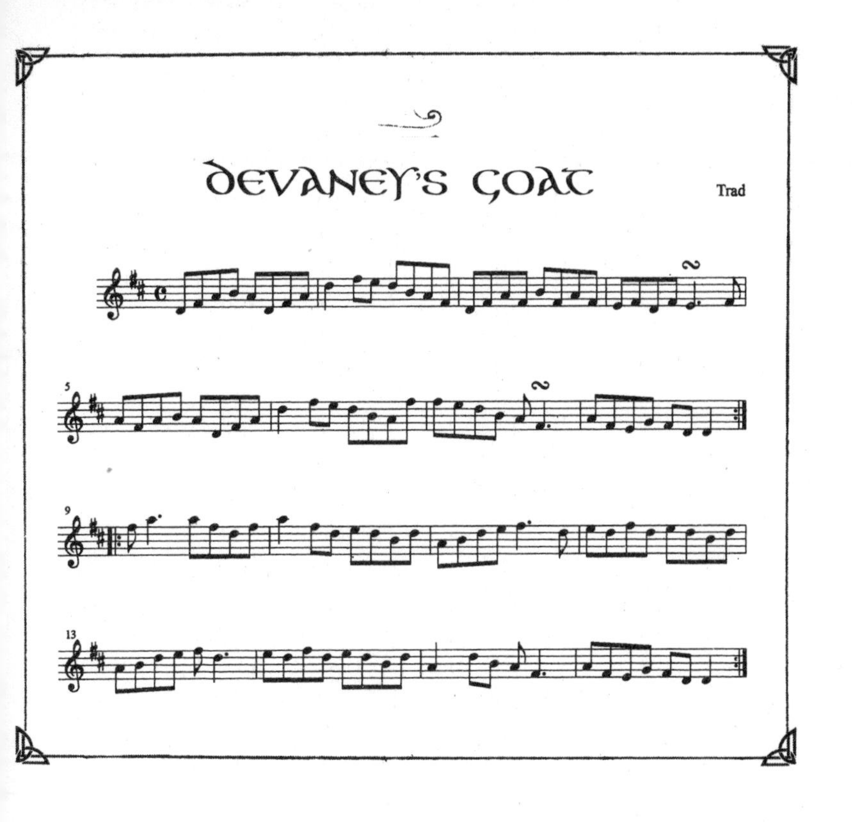
DEVANEY'S GOAT
Trad
5
9
13

3

Auch Aengus und JJ in der Erdkammer spürten die Veränderung und es war ein wunderbares Gefühl. Es war wie das Ende einer Krankheit oder die Entbindung eines neuen Babys oder die Heimkehr nach einer sehr langen Abwesenheit. Aber der Augenblick der Freude wurde durch einen entsetzlich rasselnden Atemzug von Bran gestört. JJ eilte durch den Kriechtunnel, dicht gefolgt von Aengus. Der Hund lag seitlich ausgestreckt. Sein Atem war ein kurzes, abgehacktes Keuchen, und als JJ eine Hand auf seine Schulter legte, spürte er, dass sein ganzer Körper steif vor Anspannung war.

»Oh, Bran«, sagte er. »Komm schon, alter Junge. Du hast Tír na nÓg gerettet, weißt du das? Du kannst uns jetzt nicht so einfach wegsterben.«

»Das wird er nicht«, sagte Aengus ernst. »Diese Möglichkeit gibt es jetzt nicht mehr.«

Aber JJ war ein Bauernsohn. Er hatte schon so viele sterbende Tiere gesehen. »Ich wünschte, du hättest Recht«, sagte er, »aber ich glaube es nicht.«

»Was ist da drin passiert, JJ?«

JJ entzog dem Hund nur mit Mühe seine Aufmerksamkeit. »Es war ein Priester. Father Doherty.« Er hielt die Flöte hoch. »Er hatte dies hier durch die Wand gesteckt.«

»Ah«, sagte Aengus. »Das ist also aus dem alten Knaben geworden.«

»Woher kanntest du ihn?«, fragte JJ.

»Ich hab ihn ein paarmal getroffen«, sagte Aengus.

»Wo?«

»Hier und dort«, sagte Aengus. »Er ist hier sein ganzes Leben gekommen und gegangen, wollte uns kennen lernen und versuchte, uns zu überreden, dass wir aus seiner Gemeinde verschwinden sollten, ja sogar aus seiner ganzen Welt. Ich hätte ahnen sollen, dass er versuchen würde, einen Weg zu finden, uns auszusperren. Ziemlich schlaue Idee hatte er da, das muss man ihm lassen.«

JJ lachte. »Ich frage mich, wie ihm das moderne Irland gefallen wird. Was passiert eigentlich, wenn er merkt, dass ich ihn ausgetrickst habe, und er zurückkommt? Glaubst du, er wird es wieder probieren?«

»Nein«, sagte Aengus. »Das wird er mit Sicherheit nicht tun.«

Er wandte sich um und begann, in die innere Kammer zurückzukrabbeln.

»Wo gehst du hin?«, fragte JJ.

»Ich muss nur einem meiner kleinen Abenteuer nachgehen«, sagte Aengus und verschwand.

»Gehst du nach drüben?«, fragte JJ.

Aengus gab keine Antwort. JJ streichelte über Brans Kopf. »Vielleicht sollten wir mit ihm gehen. Was meinst du?«

Aber Aengus schien nirgendwohin gegangen zu sein. Er kam mit dem Kerzenstummel des Priesters durch das Kriechloch zurück. »Sollen wir hier rausgehen?«, sagte er.

Sie mussten beide anpacken, um den schweren Hund aus der Erdkammer an die Oberfläche zu befördern. Im Tageslicht sah er kein bisschen besser aus.

»Ich bin sicher, dass er im Sterben liegt«, sagte JJ.

»Das stimmt«, erwiderte Aengus. »Aber er wird nicht sterben.«

Langsam wurde JJ die Bedeutung seiner Worte klar. »Es wird nicht schlimmer, aber es wird auch nicht besser.« Das waren die Worte der Müden Maggie gewesen. Es war immer schlimmer geworden mit Bran, solange die Zeit nach Tír na nÓg hineingeströmt war. Aber jetzt …

Jetzt. Etwas anderes gab es nicht, nur jetzt.

»JJ«, sagte Aengus sanft. »Du kapierst doch, dass Bran nicht Father Dohertys wegen in die Erdkammer hinuntergegangen ist. Er ist ein Hund. Er hatte keine Ahnung, was wir vorhatten und warum wir so über Berg und Tal gewandert sind. Er hat sich dir angeschlossen, weil du ein Ploddy bist, und er dachte, du würdest ihn zu einem offenen Tor führen. Das hast du nicht getan, also hat er selbst eines gefunden. Tiere können sie spüren, weißt du, vor allem diejenigen, die so oft gekommen und gegangen sind wie er. Ich vermute, ihr würdet es als Instinkt bezeichnen.«

»Aber warum?«, fragte JJ. »Warum wollte er hindurchgehen?«

Aengus fuhr mit der Hand durch den stumpfen Pelz des Hundes. »Er ist einmal hierher gekommen, um dem Tod zu entgehen. Wir wissen nicht, was mit ihm passiert ist, aber man sieht ja, wie schwer verletzt er ist. Gerade noch rechtzeitig hat er ein Tor gefunden und ist zu uns gekommen. Sein Leben hier war nicht gerade gemütlich, aber für ihn war es besser, als zu sterben. Bis das Leck kam.«

JJ nickte. »Durch die Zeit ging es ihm immer schlechter.«

»Genau das«, sagte Aengus. »Und schließlich wurde sein Leben unerträglich. Er wollte seinem Tod nicht länger ausweichen. Er wollte zurück und ihm in die Augen schauen.«

Bran stöhnte schwach und ein Zittern durchlief den steifen Körper. JJ spürte Wut in sich aufsteigen. »Wir hätten es ihm ersparen können«, sagte er. »Du hättest mich mit ihm zum Tierarzt gehen lassen sollen, bevor es so schlimm mit ihm wurde.«

»Aber das hättest du nicht gekonnt, JJ. Das habe ich dir doch schon gesagt.«

JJ schaute ihn verständnislos an.

»Oje«, sagte Aengus. »Ich dachte, du hättest es kapiert. Du hast doch bestimmt nicht vergessen, was mit Oisín geschehen ist?«

THE NEW CENTURY
Trad
4
7
10
13
16

4

Es war der neue Polizist, der die Leiche in der Erdkammer fand. Er war zu dem Zeitpunkt noch nicht einmal im Dienst, aber er schnüffelte gerade ein bisschen auf eigene Faust dort herum. Sergeant Early hatte noch ein Hühnchen mit ihm zu rupfen, weil er schon wieder drei Tage lang nicht zur Arbeit erschienen war, aber gleichzeitig war er auch zufrieden mit ihm. Wenigstens konnten sie jetzt etwas vorweisen für ihren großen Polizeieinsatz.

Natürlich hatte es nichts mit den vermissten Personen zu tun. Die Polizei stellte das von Anfang an klar, aber dennoch verbreiteten sich die Gerüchte wie ein Lauffeuer. O'Dwyer wurde zu seiner Unterkunft geschickt, um dort seine Uniform zu holen, und dann in der kleinen Polizeiwache des Dorfes postiert, wo er den ganzen Tag lang besorgte Anfragen beantwortete. Dabei verriet er nur wenig. Die Leiche hatte sich zum Zeitpunkt des Fundes im Zustand stark fortgeschrittener Verwesung befunden und hatte offensichtlich schon viele, viele Jahre dort gelegen. Die Teams der Spurensuche waren dabei, die Erdkammer zu untersuchen, und würden die Leiche zur Autopsie mitnehmen. Es würde noch ein paar Tage dauern, bis man einen Identifikationsversuch machen konnte.

Aber diese Informationen reichten den meisten Leuten in

der Gegend schon aus. Am Ende des Tages wusste jeder im Dorf, dass ein altes Rätsel wieder ans Tageslicht gebracht worden war. Es musste Father Doherty sein.

Man war sich im Großen und Ganzen einig, dass das der Beweis für seine Ermordung durch JJ Liddy war. Die Erdkammer lag auf dessen Land. Wer sonst hätte von ihrer Existenz gewusst? Es war das perfekte Versteck, wo ein Mörder eine Leiche verschwinden lassen konnte. Natürlich sagte das niemand zu Helen direkt, aber selbst für sie war es schwer, den Fund auf irgendeine andere Weise zu interpretieren. Nach dem Verschwinden ihres Sohnes war dies ein weiterer Schlag, der ihr schwer zusetzte.

Es kam nicht mehr infrage, dass das Céilí, das für den folgenden Tag geplant gewesen war, noch stattfinden würde. Helen überließ es Ciaran, herumzutelefonieren und allen abzusagen. Zum ersten Mal in den vier Wochen seit JJs Verschwinden ließ sie sich von der Niedergeschlagenheit überwältigen und zog sich in ihr Bett zurück.

Und sie stand erst am Samstagmittag wieder auf. Ciaran und Marian hatten die Ziegen gemolken und sie in einen Tag hinausgeschickt, der zwischen strahlendem Sonnenschein und kräftigen Schauern wechselte. Sie saßen in der Küche und spielten Karten, als Helen herunterkam.

»Es stimmt, oder?«, sagte sie. »Das mit Father Doherty?«

»Sie haben ihn noch nicht identifiziert«, sagte Ciaran.

»Aber das werden sie noch«, sagte Helen. »Er ist es. Ich hatte einfach gehofft, dass alles nur ein böser Traum war.«

Ciaran stand auf und legte seinen Arm um sie, aber sie wich ihm aus, zog den Wasserkessel auf die heißeste Platte des Holzherds und blieb dann mit dem Rücken zur Wärme stehen.

»Hast du heute Nachmittag schon etwas vor, Marian?«, fragte sie.

Marian hatte viel zu tun, aber dafür war mehr als genug Zeit. »Nichts Besonderes«, sagte sie.

»Ich setze jetzt mal den Käse an«, sagte Helen. »Danach könnte ich dir, wenn du Lust hast, ein paar Stücke beibringen.«

MY MIND WILL NEVER
BE EASY
Trad

5

JJ starrte den sterbenden Hund an. Wieder einmal hatte er das Gefühl eines Erdrutsches in seinem Hirn. Aber diesmal tat es weh.

Natürlich erinnerte er sich an die Geschichte von Oisín. Er war der Sohn von Fionn Mac Cumhail, der sich in eine Frau der Sidhe verliebte und nach Tír na nÓg ging, um dort zu leben. Er war glücklich dort – hier –, bis er Sehnsucht nach seinem geliebten Irland bekam. Seine Freunde in Tír na nÓg rieten ihm ab, aber als er darauf bestand zu gehen, liehen sie ihm ein weißes Pferd und warnten ihn, dass er nie davon absteigen dürfe, solange er in Irland war.

Als er drüben ankam, musste Oisín feststellen, dass hunderte von Jahren vergangen waren. Alles hatte sich verändert. Er kannte keinen und keiner kannte ihn. Er blieb auf seinem Pferd, aber dann traf er auf eine Gruppe von Männern, die einen riesigen Felsblock verschieben wollten, der mitten auf einem Feld lag. Sie baten ihn um Hilfe, und als er sich vom Pferd hinabbeugte, um mit Hand anzulegen, rutschte er ab und stürzte. Sobald er die Erde Irlands berührte, zerfiel er zu Staub.

JJ schaute zu Aengus empor. »Also deswegen konnte ich ihn nicht zum Tierarzt bringen?«

»Der hätte auch nicht viel tun können für ein Häuflein Staub.«

Eine weitere schreckliche Erkenntnis kam der anderen hinterhergeschlittert. »Und ... und Father Doherty?«

»Ein Haufen trockener Knochen«, sagte Aengus.

JJ dachte darüber nach. »Ich habe ihn ausgetrickst, Aengus«, sagte er. »Er wollte bleiben, bis es dunkel wurde, aber ich habe ihm erzählt, es sei schon dunkel.«

»Gut gemacht, Junge«, sagte Aengus und klang wirklich beeindruckt. »Ich habe schon immer gesagt, dass du nicht durch und durch ein Ploddy bist.«

»Aber kapierst du denn nicht? Ich habe ihn in seinen Tod geschickt. Ich habe ihn umgebracht.«

»Das hast du nicht«, sagte Aengus. »Dieser Mann wusste mehr über unsere Welt als ich selbst. Er wusste, was er tat.«

»Aber das kann doch nicht sein. Er kann doch nicht einfach durch die Wand gegangen sein in dem Bewusstsein, dass er stirbt, sobald er drüben ist.«

»Warum nicht?«, sagte Aengus. »Er hasste Tír na nÓg und die Leute hier. Er hätte nicht hier bleiben wollen. Er war ein Mann der Kirche, JJ. Ich bin sicher, dass er erwartet hat, direkt in eine andere Form der Ewigkeit überzugehen und dort großen Lohn von seinem Vater zu erhalten. Und wer weiß? Vielleicht ist es auch so.«

JJ schaute über die Ebene aufs Meer hinaus. Der ganze prachtvolle Ausblick war in warmes Licht getaucht. Und wenn nicht noch so einer wie Father Doherty daherkäme, würde Tír na nÓg genau so bleiben und auf ewig in diesem warmen, goldenen Abendlicht glänzen.

»Ich gehe jetzt lieber nach Hause.«

»Ganz wie du willst«, sagte Aengus, »aber ich würde dir davon abraten.«

»Warum?«

»Woher weißt du, dass du anders bist als Oisín und Father Doherty?«

»Aber das ist doch lächerlich«, sagte JJ. »Ich bin erst seit –« Er hielt inne. Das war es ja. Hier verging keine Zeit. In Irland konnten tausend Jahre vergehen, aber hier war immer Jetzt. JJ begann, die schreckliche Wahrheit zu ahnen.

»Denk an die Vorteile«, sagte Aengus Óg. »Du kannst im Sonnenschein spazieren gehen. Du kannst ein paar neue Stücke lernen, und wie ich höre, bist du auch ein guter Tänzer.«

»Aber was ist mit meinen Eltern?«, fragte JJ.

»Mach dir um die keine Sorgen. Die vermissen dich für ein Tänzchen oder zwei und dann werden sie dich vergessen.«

»Das werden sie nicht. Wir sind nicht wie ihr, Aengus. Wir leben nicht in ewiger Gegenwart. Wir vergessen nicht.«

»Oh«, sagte Aengus. »Na ja. Schade. Aber vermutlich sind sie längst nicht mehr am Leben. Ploddys sind nicht sehr haltbar, weißt du?«

»Sag das nicht!«, sagte JJ. »Das kann nicht sein.«

Aengus streckte die Hand aus und fuhr JJ liebevoll durchs Haar. »Komm schon«, sagte er. »Mach dir nichts draus. Du kannst sowieso nichts daran ändern, also kannst du es ebenso gut vergessen. Du gehörst hierher. Du bist einer von uns.« Ihm kam eine Idee. »Kannst du das Ding da spielen?«

JJ schaute die Flöte an. Er hatte ganz vergessen, dass sie da war. Das eine Ende war schwarz und staubig, weil es siebzig Jahre lang in der Erdkammer in seiner eigenen Welt gesteckt hatte. Das andere Ende war sauber und glänzend, so wie sein Urgroßvater zuletzt darauf gespielt hatte. Er wollte seine Eltern und seine zerrissene Lage nicht vergessen, aber es ist einfach so, dass nur wenige der geheimnisvollen Macht widerstehen können, die das Land der ewigen Jugend auf die Menschen ausübt, wenn sie den Weg dorthin finden.

Vielleicht hatte Aengus ja Recht? Vielleicht konnte JJ wirklich nichts tun. Er riss ein Büschel Gras aus und rieb den Schmutz und die Spinnweben von der Flöte. Das Holz war durch ihre früheren Jahre als Speiche eines Schubkarrenrades so gut abgelagert, dass ihm die Zeit in der Wand nicht im Geringsten geschadet hatte. JJ hob die Flöte an den Mund und blies hinein. Mehr als ein Pfeifen und Keuchen war nicht zu hören.

Aengus hatte bereits die Geige ausgepackt. »Versuch's noch einmal«, sagte er.

Noch mehr Pfeifen und Quietschen. Und dann, auf einmal, ein klarer, sanfter Ton. JJs Finger bewegten sich instinktiv und er spielte ein paar kurze Phrasen und Arpeggios. Noch nie zuvor hatte er so etwas gehört wie den Ton, der nun der Flöte entstieg. Kein Wunder, dass sein Urgroßvater die Flöte so geliebt hatte.

»Das ist eine tolle Flöte, JJ«, sagte Aengus. »Die beste, die ich je gehört habe.«

Während JJ fortfuhr, das alte Instrument langsam aufzuwärmen, stimmte Aengus die Fiddle danach. Er begann, einen Jig zu spielen. Nach einigen weiteren unabsichtlichen Pfeifgeräuschen fand JJ den Ton wieder und stieg in das Stück ein. Doch er fühlte sich unwohl. Sein Blick fiel auf Bran, der auf ewig in seinem Todeskampf gefangen war. Es war furchtbar, aber was nützte es, dass er sich um ihn sorgte und wegen seiner Schmerzen Mitleid mit ihm hatte? Warum sollte es ihn bekümmern, wenn er nichts, aber auch gar nichts dagegen unternehmen konnte?

Also spielte er, ein Lieblingsstück nach dem anderen, und vergaß alles außer der Musik. Er schaute hoch, begegnete

Aengus' Blick und seine Stimmung stieg. Es ist unmöglich zu lächeln, während man Flöte spielt, daher hob JJ nur die Augenbrauen und überblies einige Töne, sodass die Flöte eine Oktave höher sprang. Aengus juchzte vor Vergnügen und antwortete mit einer Folge von einfallsreichen Variationen.

Ein Blick und ein Nicken genügten und sie wechselten zu einem neuen Stück. Die beiden Instrumente ertönten in perfekter Harmonie, und die wilde, aufregende Musik klang über das schöne Land, aus dem sie hervorgegangen war.

FAR FROM HOME
Trad
5
9
3
13

6

SOLLEN wir ins Dorf runtergehen?«, fragte Aengus. »Mal sehen, ob Devaney inzwischen die Ziege gefangen hat.«

»Ich verstehe nicht, warum er sie fangen muss«, sagte JJ. »Warum verwandelt er sie nicht aus der Ferne in eine Bodhrán?«

»Das hat er einmal gemacht. Die Bodhrán ist weggerollt, den Hügel hinunter bis ins Meer. Er hatte ganz schöne Mühe, bis sie wieder trocken war ... Er sagt, das hätte sie absichtlich getan. Er behauptet, sie sei seitdem nicht mehr so wie früher.«

»Für mich klingt sie ziemlich gut«, sagte JJ. Er nahm die Geige und Aengus wuchtete sich den Hund auf den Arm. Zusammen suchten sie sich einen Weg den Hügel hinab oberhalb der Gruppe von seltsamen roten Bäumen, wo in seiner eigenen Welt JJs Elternhaus stand. Aengus hielt sich weiter rechts in Richtung der Bergstraße, aber JJ wollte noch immer die Stelle sehen.

»Hast du was dagegen?«, fragte er.

Aengus sah etwas verärgert aus. »Der Hund ist allerdings ganz schön schwer.«

»Dann geh doch einfach vor und ich komme nach. Ich brauche nicht lange.« Er lachte. »Genau genommen brauche ich überhaupt keine Zeit.«

Doch als er zum Rand der Baumgruppe hinüberging, kam Aengus mit ihm. Die roten Bäume waren groß, mit dicken Stämmen und dichtem, gekräuseltem Laub.

»Was sind das für Bäume?«, fragte JJ.

»Klang-Ahorn«, sagte Aengus. »Unter dem Namen waren sie jedenfalls in eurer Welt bekannt. Dort wurde der letzte im Jahr 1131 gefällt.«

»Wirklich? Warum?«

»Das Holz hat erstaunliche Klangeigenschaften. Die frühen Kirchen und die Emporen für Musiker waren alle damit getäfelt. Es hat die Fähigkeit, ein ganzes Gebäude in ein Musikinstrument zu verwandeln. Wunderbar«, sagte er versonnen. »Aber wie alle besonders wunderbaren Dinge war es allzu begehrt. Man fertigte daraus die besten Musikinstrumente. Wir nennen den Baum Glockenbaum.«

JJ legte die Hand auf den nächsten roten Stamm.

»Spiel mal ein paar Töne hier drunter«, sagte Aengus.

JJ hob die Flöte und spielte den Anfang eines Stückes. Der ganze Baum klang mit und füllte die Luft ringsum mit süßen, wohltönenden Harmonien.

»Wow«, sagte er.

»In eurer Welt gibt es einen, der baut Geigen daraus«, sagte Aengus. »Er schickt von Zeit zu Zeit einen Lehrling hier rüber, um das Holz zu holen. Er lebt in Italien, glaube ich. Tony heißt er. Tony Stradivarius.«

»Nicht Antonio Stradivari?«, fragte JJ ungläubig.

»Genau der. Ich hatte mal eine von seinen Geigen. Aber ich hab sie irgendwo liegen gelassen …«

»Aber der ist doch schon seit fast dreihundert Jahren tot!«

»Ach. Tatsächlich?«, meinte Aengus. »Es ist schwierig, den Überblick zu behalten … Du bist da wirklich viel besser dran, weißt du?«

JJ spielte wieder, zum Baum gewandt, und hielt dann inne, um dem Nachklang zu lauschen.

»Ich hab mal ein wunderbares Mädchen gekannt«, fuhr Aengus fort. »Ich war sogar ganz verrückt nach ihr. Aber als ich zurückkam, um sie zu besuchen, na ja… Es war schrecklich. Ihr Ploddys seid einfach nicht haltbar.«

JJ hörte nur mit halbem Ohr zu. Das mochte ja für Aengus alles schön und gut sein. Er konnte kommen und gehen zwischen den Welten, wie es ihm gefiel. Es schien nicht gerecht, dass JJ für immer hier festsaß.

Er trat zwischen die Bäume. In ihrer Mitte stand ein Häuschen, sehr ähnlich den anderen, die er hier gesehen hatte. Mehr wie ein ausgehöhlter Felsbrocken als wie ein Haus. Es schien ganz leer zu stehen und er hatte keine Lust hineinzugehen. Er ging außen herum, aber da gab es nichts, was dieses Gebäude mit dem Haus verband, in dem er geboren war. Nichts jedenfalls, bis er zu der Stelle kam, wo der neue Anbau stehen würde. Da lag neben dem Stamm eines der Ahornbäume ein kleines Häuflein von sehr vertrauten Socken.

Er war noch immer da, als Aengus nach ihm suchte. »Hast du noch nicht genug gesehen?«

»Doch«, sagte JJ. Er folgte Aengus fort vom Haus, als er Musik zu hören meinte. Er wandte sich um und beugte den Kopf zu der kleinen dunklen Türöffnung. Sie war nur schwach, aber sie war eindeutig da.

»Was ist los?«, fragte Aengus.

»Musik«, sagte JJ.

»Ach, das glaube ich nicht«, sagte Aengus. »Komm schon. Lass uns gehen.«

»Nein, ich kann es ganz genau hören. Hier muss es ein Leck geben.«

»Du hast den ganzen Quatsch doch nicht geglaubt, oder?«,

sagte Aengus. »Man kann die Ploddy-Musik nicht wirklich hören, weißt du? Das ist ein Ammenmärchen.«

Aber JJ *konnte* sie hören. Er hörte erst eine, dann zwei Concertinas. Er erkannte die Stücke. Zwei Jigs, die er erst vor kurzem gelernt hatte. Und er erkannte auch die Art des Spiels. Er hatte sie sein Leben lang gehört.

Der Zauber von Tír na nÓg verlor plötzlich an Wirkung. JJ wandte sich um und begann, zielstrebig den eben zurückgelegten Weg durch die Bäume hindurch zurückzugehen.

Aengus eilte ihm hinterher, noch immer den Hund in den Armen. »Wo gehst du hin?«

»Nach Hause.«

»Sei kein Narr, JJ.«

JJ blieb nicht stehen. »Ich bin nicht so ein Narr, wie du denkst, Aengus Óg. Sie sind immer noch da. Ich kann sie hören. Meine Mutter und meine Schwester spielen auf ihren Concertinas.«

Er hatte die Bäume jetzt hinter sich gelassen und eilte, ja rannte fast den felsigen Abhang hinauf zum Ringfort.

»JJ! Warte!«

JJ beachtete ihn nicht. Aengus hatte ihn schon einmal zum Bleiben überredet und würde es vermutlich wieder versuchen.

»Du gehörst hierher, JJ«, rief er jetzt. Aber JJ wusste, wo er hingehörte, und er würde sich nicht noch einmal überreden lassen. Das Einzige, was ihn jetzt noch hindern könnte, wäre, wenn Aengus ihn in eine Schildkröte verwandelte. Sollte er doch. Es war ihm egal. Er wollte nach Hause.

Aber dann ließen ihn Aengus' Worte doch innehalten.

»Nimm Bran mit.«

JJ wartete am Hang, bis Aengus ihn eingeholt hatte. Natürlich würde er Bran mitnehmen. Er war überrascht, dass er selbst nicht daran gedacht hatte. Er wünschte, er müsste es nicht tun, aber es gab keine andere Möglichkeit, seinem Leiden ein Ende zu bereiten. Wenn Father Doherty ihm nicht in die Quere gekommen wäre, hätte er es bereits selbst getan.

Father Doherty. JJ war plötzlich weniger begeistert von der Vorstellung, durch die Wand in der Erdkammer zu gehen. Er schaute Aengus an.

»Der Priester«, sagte er. »Ich vermute, da sind, du weißt schon, Überreste?«

»Oh ja«, sagte Aengus. »Puh. Eklig.«

JJ war wieder verunsichert. Schon umfingen ihn die Verlockungen von Tír na nÓg wieder. Aber aus Gründen, die nur ihm selbst bekannt waren, lenkte Aengus Óg ein.

»Nein. Er ist weg, JJ. Man hat sich darum gekümmert.«

»Woher weißt du das?«

»Man hat ihn gefunden und weggebracht. Das, was noch von ihm übrig war.«

»Aber woher weißt du das?«

»Wir können uns ganz leicht zwischen den Welten bewegen«, sagte Aengus ernst. »In einem Augenblick sind wir verschwunden. Noch im selben Augenblick sind wir …«

»Ja, ja, ja«, sagte JJ. Trotz allem, was geschehen war, empfand er große Zuneigung zu Aengus. »Du solltest dich mal hören, weißt du. Du klingst selbst schon fast wie ein Gott.«

Aengus lachte schallend. Zusammen gingen sie weiter den Berg hinauf zum Ringfort, und dort schafften sie es zu zweit, den gequälten Hund in die Erdkammer hinabzulassen. In deren hinterster Ecke half Aengus JJ, den Hund in seinen Armen auszubalancieren, ohne dabei die Kerze oder die Flöte zu verlieren.

»Komm irgendwann zurück, damit wir mal wieder zusammen spielen können«, sagte er.

»Das werde ich. Versprochen.«

»Vielleicht vergisst du es auch.«

»Ich vergesse es nicht. Jedenfalls werde ich es versuchen.«

»Glaub an deine Erinnerungen, JJ. Auch wenn sie dir verrückt erscheinen.«

Es ist nicht einfach, einen jungen Mann zu umarmen, der einen Wolfshund trägt, aber Aengus Óg war ein Mann, vielleicht sogar ein Gott, mit vielen Talenten. JJ drehte sich zur Wand. Er würde wiederkommen, schwor er bei sich. Aber der graue Hund, der Fionn Mac Cumhails Wild von einem Ende der alten Welt zum anderen gejagt hatte, verließ Tír na nÓg für immer.

»Leb wohl, Bran«, flüsterte er und trat einen Schritt nach vorne.

The Maple Tree
Trad
3
2
3
7
9
1
2
3

TEIL 6

1

Ciaran und Marian waren unten im Dorf am Sportplatz und schauten bei einem Camogie-Spiel zu. Sie hatten versucht, Helen zum Mitkommen zu überreden, aber sie war hartnäckig geblieben. Sie mochte sich an diesem Tag nicht in der Öffentlichkeit zeigen. Ob der Name von Father Doherty nun fiel oder nicht, seine wieder entdeckten sterblichen Überreste würden hinter jedem Blick lauern, der den ihren traf.

Als JJ in der Küchentür auftauchte, war ihre Reaktion verzögert. Im ersten Augenblick schien seine Gegenwart dort die natürlichste Sache der Welt zu sein, so als käme er gerade vom Schulbus nach Hause. Als sie begriff, was los war, bekam Helen so weiche Knie, dass sie sich beim Aufstehen am Tisch festhalten musste.

Aber auch JJs Verhalten war der Situation nicht angemessen. Nichts an seiner Art deutete darauf hin, dass er soeben von einer vierwöchigen, unerklärlichen Abwesenheit zurückkam. Er ließ sich auf seinen üblichen Platz am Tisch fallen und betrachtete die Flöte, die er noch immer in der linken Hand hielt.

»Wo hast du gesteckt?« Helen löste die Finger vom Tisch und eilte zu ihm hinüber.

JJ warf ihr einen kurzen, wilden Blick zu und richtete seine Aufmerksamkeit wieder auf die Flöte.

»Nirgends«, sagte er. »Ich habe den Käse bei Anne Korff vorbeigebracht und dann …« Er brach ab. In seiner Erinnerung fehlte ein Stück. Er wusste, was für eine Flöte er da in den Händen hielt, aber er wusste nicht mehr, wo sie hergekommen war. »Sie hatte einen Ring hier in der Mitte und das eine Ende war älter als das andere«, sagte er. »Das kann ich jetzt nicht mehr sehen.«

»JJ …« Helen wusste nicht, was sie sagen sollte. Er sah genauso aus wie zum Zeitpunkt seines Verschwindens, aber er war nicht mehr derselbe. Ihm musste doch klar sein, welche Sorgen sie sich gemacht hatten. Bestimmt würde er ihr alles erzählen.

»Die hat deinem Großvater gehört«, sagte JJ. »Da steht sein Name drauf. Schau. John Joseph Liddy.«

»Wo hast du sie gefunden?«

»Es muss in der Erdkammer gewesen sein«, sagte JJ.

»In der Erdkammer? Was hast du denn da gemacht?«

Als einzige Antwort öffnete JJ seine rechte Hand. Sie war voll mit schwarzem Staub, der zwischen seinen Fingern auf die abgewetzten Steinplatten hinabrieselte.

»Das ist Bran«, sagte er.

Helen war zutiefst beunruhigt. Was immer mit JJ geschehen war, es hatte seinem Verstand geschadet.

»Willst du sagen, du hast etwas verbrannt?«, fragte sie vorsichtig.

»Nein, nicht verbrannt«, sagte JJ. »Das war ein Hund.«

Aber noch während er das sagte, merkte er, dass seine Worte keinen Sinn hatten. Sie waren wie unzusammenhängende Dinge, die in einem leeren Raum herumpurzelten; Wörter und Bilder, die kein gemeinsames Ganzes ergaben. Sie machten ihm Angst. Er wischte sich die Hand an der Jeans ab und rubbelte mit den Zehen im Staub auf dem Boden.

Helen war vorsichtig. Sie war sich unsicher, wie sie mit JJs offensichtlicher Verwirrtheit umgehen sollte. Sie griff auf bewährte Methoden zurück.

»Komm. Zieh die Jacke aus und ich mache uns eine Kanne Tee.«

Er ließ zu, dass sie ihm aus der Jacke half, und bewegte die Flöte vorsichtig von einer Hand in die andere. Als Helen die Jacke hinter der Tür aufhängen wollte, bemerkte sie, dass sie ungewöhnlich dick war. Alle Außentaschen waren mit etwas Weichem ausgestopft. Verstohlen griff sie mit einer Hand hinein. Was sie dort fand, machte sie keineswegs sicherer, was den Geisteszustand ihres Sohnes anbetraf. Die Tasche war ebenso wie alle anderen voll gestopft mit einzelnen Socken.

Helen wandte sich um. Sie war sich nicht sicher, ob sie JJ danach fragen sollte. Er setzte soeben die Flöte an die Lippen und begann, nach ein paar Übungstönen, eine Melodie zu spielen. Helen blieb stehen und hörte zu. Sie kannte die Melodie nicht, aber der volle Klang des alten Instruments schien ihr so vertraut, als wäre ihr die Erinnerung daran durch ihre Mutter in die Wiege gelegt worden.

»Das ist schön, JJ«, sagte sie, als er geendet hatte.

»Wie heißt das Stück?«, fragte er.

»Keine Ahnung. Ich habe es noch nie zuvor gehört. Wo hast du es gelernt?«

»Ich weiß es nicht«, sagte JJ. Aber er konnte die Melodie in seinem Kopf hören, gespielt von Fiddle, Flöten und einer Bodhrán, und er konnte Leute dazu tanzen sehen. »Und gibt es hier heute Abend ein Céilí?«

»Nein«, sagte Helen. »Ich habe es abgesagt.«

»Warum?«

»Weil du nicht da warst.«

»Aber ich bin doch da. Mach die Absage rückgängig.«

»Möchtest du das gerne?«, fragte Helen.

»Warum denn nicht?«, sagte JJ.

Helen dachte nach. Warum nicht? Ein Céilí könnte genau das sein, was JJ jetzt brauchte. Hatte nicht der große Joe Cooley selbst einmal gesagt: »Es ist die einzige Musik, die die Leute wieder zur Vernunft bringt«? Sie konnte sich immer mehr für die Idee begeistern und ihre Sorge um JJ wurde kleiner. Er war zurück, das war die Hauptsache. Mit der Zeit würde er schon in der Lage sein zu erklären, wo er gewesen war, aber in der Zwischenzeit würden die Liddys – Father Doherty hin oder her – JJs Rückkehr feiern.

Aber zunächst gab es noch andere Dinge zu erledigen.

»Wir machen ein Céilí«, sagte Helen. »Aber zuerst müssen wir der Polizei Bescheid geben, dass du wieder da bist.«

»Der Polizei?«, fragte JJ. »Warum, um alles in der Welt, willst du das der Polizei sagen?«

Erst dann erfuhr JJ, wie lange er wirklich von zu Hause weg gewesen war.

WELCOME HOME
Trad

2

DER neue Polizist hatte sich gerade zum Dienst gemeldet, als Sergeant Early Helen Liddys Telefonanruf entgegennahm. Das war die zweite gute Nachricht, die an diesem Tag eingetroffen war. Ein paar Stunden zuvor war Séadna Tobín, der Apotheker, wieder im Dorf aufgetaucht. Er war fast reumütig, dass er die Zeit der Polizisten vergeudet hatte, und versicherte allen, es würde nicht wieder vorkommen. Nur unter Druck gestand er, dass er mit seiner Geige auf Achse gewesen war. Das sei einfach eine Schwäche von ihm, sagte er. Er hatte, zumindest für die nächste Zeit, vor, die Geige in einer Truhe zu verwahren und seiner Frau die Oberaufsicht für den Schlüssel zu übertragen.

»Für beide Schlüssel«, fügte er als Nachsatz hinzu.

Nachdem nun auch der junge Liddy wieder gefunden war, blieben nur noch Anne Korff und Thomas O'Neill. Mit ein wenig Glück würden auch sie bald wieder auftauchen.

Samstagabends gab es immer viel zu tun für die Polizei in Gort. Sergeant Early wäre gerne selbst gegangen, um den Liddys einen Besuch abzustatten, aber er wurde auf der Wache gebraucht. Er hätte auch lieber jeden anderen als ausgerechnet O'Dwyer geschickt, aber er hatte, wie er zugeben musste, keine Alternative. Die anderen Mitglieder seiner Truppe waren bereits in anderer Mission unterwegs, und Garda Treacy, der eigentlich hätte da sein sollen, war nicht zum Dienst erschienen.

»Sein Wagen ist da«, sagte Larry. »Sein Hund ist da drin, aber er nicht.«

»Ich wusste gar nicht, dass er einen Hund hat«, sagte der Sergeant. »Sie werden die Liddys also alleine aufsuchen müssen. Aber seien Sie vorsichtig, kapiert? Man kann nie wissen, was der Junge alles durchgemacht hat.«

Marian und Ciaran kamen nach Hause, kurz nachdem Helen mit Sergeant Early gesprochen hatte. Sie waren ebenso überrascht und erfreut und bald ebenso besorgt wie Helen. JJ hatte zu seinem großen Entsetzen erfahren, dass er einen Monat lang fort gewesen war, doch als sich mit der Zeit wieder der normale Familienalltag einzustellen begann, entspannte er sich und schien sich gut zu erholen. Marian fand in ihrer feinfühligen Art rasch heraus, wie man ihn am besten an die Gegenwart band. Sie erzählte ihm die neuesten Gerüchte aus dem Dorf, wobei sie mit dem Verschwinden mehrerer Personen begann und dann zu alltäglicheren Themen überging, wie den jüngsten Ergebnissen beim Hurling, wer mit wem Schluss gemacht und angebandelt hatte, dem Auftauchen von weißen Eseln und anderen Nebensächlichkeiten. Aber weder sie noch die anderen erwähnten die Entdeckung der Leiche in der Erdkammer. Dafür würde später noch Zeit genug sein.

Als Helen den Polizisten in die Küche führte, erkannte JJ ihn sofort. Ihm lag ein Name auf der Zunge und wäre ihm auch fast entschlüpft, wenn ihn nicht eine starke Intuition zurückgehalten hätte. Und bevor er sie noch richtig fassen konnte, waren ihm Name und Gesicht schon wieder entfallen, zurück dorthin, wo sich auch der ganze Rest seines verlorenen Monats verbarg.

Marian war draußen im Flur und rief alle Musiker und Tänzer im ganzen Land an. Der Polizist saß JJ am Tisch gegenüber, und nachdem Helen und Ciaran ein oder zwei Augenblicke lang etwas verunsichert herumgestanden hatten, ließen sie sich auf den beiden Stühlen rechts und links vom Holzherd nieder.

Aber die Befragung war von bemerkenswerter Kürze. JJ erzählte dem Polizisten, dass er sich an nichts erinnern konnte. Und auch drei oder vier Fragen später gab es keinen Fortschritt über diese grundsätzliche, aber umfassende Blockade hinaus. JJ erwähnte die Flöte nicht, und bei näherem Nachdenken entschied Helen, dass sie es ebenso wenig tun würde. Wenn die Leute von der Spurensuche sie bei der Untersuchung der Erdkammer übersehen hatten, dann war das deren Problem. Sie hatte kein Bedürfnis, ihren Großvater noch stärker zu belasten.

Garda O'Dwyer hatte das Gefühl, dass es vermutlich eine Regel gab, wie man in Situationen wie dieser hier vorzugehen hatte, aber falls er es je gelernt haben sollte, so hatte er es bereits wieder vergessen. Er schlug vor, dass ein Besuch beim Hausarzt JJ nicht schaden könnte, und falls dabei keine Gründe für den Gedächtnisverlust festgestellt wurden, könnten sie einen Besuch bei einem Psychologen in Erwägung ziehen. Helen und Ciaran stimmten bereitwillig zu.

»Na dann«, sagte der neue Polizist. »Es ist jedenfalls gut zu sehen, dass der Junge wieder zu Hause ist. Wenn wir sonst noch etwas für Sie tun können, lassen Sie es uns wissen.«

»Möchten Sie noch eine Tasse Tee, bevor Sie gehen?«, fragte Helen.

»Nein, aber vielen Dank für das Angebot.«

»Wir haben gerüchtweise gehört, dass Sie ein toller Fiddler sind.«

»Nun ja, toll würde ich nicht gerade sagen.«

Helen erhob sich und nahm JJs Geige von der Wand. »Haben Sie schon mal ein Instrument wie dieses gesehen?«

JJ war es peinlich. Immer musste Helen das tun, jedem, der nur die geringste Ahnung davon haben konnte, seine Geige zu zeigen. Jeder pflichtete ihr dann bei, es sei ein tolles Instrument, aber was sollten sie auch sonst sagen?

Der Polizist nahm die Geige und warf einen prüfenden Blick darauf. Nach und nach breitete sich ein versonnenes Lächeln auf seinem Gesicht aus. JJ beobachtete ihn. Erinnerungen schossen direkt unter der Oberfläche seines Bewusstseins hin und her, aber sie waren so schnell und flüchtig wie kleine Fische, und er bekam sie einfach nicht zu fassen.

»Ja, früher einmal«, sagte Garda O'Dwyer und gab Helen die Geige zurück. Sie nahm sie entgegen, enttäuscht, dass er keine Anstalten machte, darauf zu spielen.

»Wir veranstalten hier heute Abend ein Céilí«, sagte sie.

»Ein Céilí«, sagte O'Dwyer. »Sehr gut.«

»Sie sind sehr herzlich eingeladen.«

»Das ist sehr freundlich von Ihnen, aber ich habe Dienst. Und wenn ich damit fertig bin, werde ich ziemlich sicher gleich nach Hause gehen.«

»Tja«, sagte Helen, ein wenig enttäuscht, »dann vielleicht nächsten Monat.«

»Ich fürchte, da werde ich nicht hier sein.« O'Dwyer stand auf und ging zur Tür. »Auf Wiedersehen, JJ«, sagte er. »Vielleicht treffen wir uns mal wieder. Irgendwann.«

JJ sagte nichts, als der Polizist hinausging. Die Erinnerungen hüpften inzwischen herum, als würden die kleinen Fische nun nach Fliegen schnappen. Aber er konnte sie noch immer nicht klar erkennen.

»Seltsamer Typ«, sagte Helen.

»Allerdings«, meinte Ciaran. »Hast du sein Gesicht gesehen, als du ihm die Geige gezeigt hast?«

»Das würde mich ja gar nicht stören«, sagte Helen. »Aber wie soll ich einen Polizisten ernst nehmen, der zwei verschiedene Socken trägt?«

JJ starrte die Tür an. Das war es. Das war das Netz, das seine Erinnerungen einfing und sie zappelnd und glitzernd an die Oberfläche hob, wo er sie sehen konnte. Und hier, in einer Welt mit einem Zeitverlauf, konnte er sie sauber und ordentlich in ein Muster bringen, das er zuvor nicht gesehen hatte.

Er rannte zur Tür und auf den Hof hinaus. Der Polizist marschierte eilig die Auffahrt hinunter, kaum noch erkennbar in der aufsteigenden Dämmerung. JJ rannte zum Hoftor und rief hinter ihm her. Der Polizist blieb stehen und wartete. Als JJ ihn eingeholt hatte, fragte er: »Wie hast du mich eben genannt?«

»Großvater«, sagte JJ.

»Oh«, sagte der Polizist. »Das ist schon in Ordnung. Es hatte für mich fast nach ›Aengus‹ geklungen.«

»Würde ich dich so nennen?«, fragte JJ, der fröhlich mit seinem Feen-Großvater Schritt hielt.

»Nein«, sagte Aengus. »Dafür bist du zu schlau. Nicht wie manche anderen Leute.«

Sie gingen noch ein Stück zusammen und freuten sich, dass sie sich doch schon so bald wiedergesehen hatten.

»Wo hast du dein Auto gelassen?«, fragte JJ.

»In einem Graben«, sagte Aengus. »Ich kann noch immer nicht verstehen, wie ihr hier glauben könnt, dass zwei Autos auf diesen Straßen aneinander vorbei passen.«

»Das können sie«, sagte JJ. »Das ist Ploddy-Magie. Wo gehst du jetzt hin?«

»Nach Hause«, sagte Aengus. »Ich habe fürs Erste genug davon, meinen kleinen Abenteuern nachzugehen, wenigstens für die nächsten ein oder zwei Jahrhunderte. Außerdem ist meine Aufgabe ja erledigt, oder? Das Leck ist gestopft.«

»Und, hat es was gebracht?«, fragte JJ. »Dass du ein Polizist warst?«

»Kein bisschen«, sagte Aengus. »Ich kann mir nicht erklären, warum ich das je gedacht habe.«

In einvernehmlichem Schweigen gingen sie noch ein Stück nebeneinanderher, dann sagte Aengus: »Und wirst du uns mal besuchen?«

»Früher als du denkst«, sagte JJ. »Aber ich warte lieber ein bisschen, bis sich die Dinge hier wieder beruhigt haben.«

»Aber vergiss es nur nicht«, sagte Aengus.

»Das werde ich nicht«, sagte JJ. »Aber du wirst es. Ein oder zwei Tänze und du wirst vergessen haben, dass es mich überhaupt gibt.«

»Vielleicht drei«, meinte Aengus.

»Soll ich Mum alles erzählen, was meinst du?«, fragte JJ.

»Lieber nicht. Sie würde dir nicht glauben, und wenn sie es tut, wäre es noch schlimmer. Für euresgleichen scheint die Vorstellung, Eltern zu haben, die jünger sind als man selbst, irgendwie schwierig zu sein.«

»Das stimmt wohl«, sagte JJ.

Helen rief ihm vom Tor aus hinterher.

»Ich gehe lieber zurück. Würdest du noch etwas erledigen, bevor du nach Hause gehst?«

»Was denn?«

»Würdest du diesen weißen Esel in Thomas O'Neill zurückverwandeln?«

»Kein Problem«, sagte Aengus Óg.

Er ging die Straße hinunter, und es kam JJ so vor, als wäre er schon ein klein wenig früher verschwunden, noch bevor ihn die Dunkelheit verschluckte. JJ würde ihn und alle anderen natürlich in Tír na nÓg wiedersehen, aber weder der neue Polizist noch Anne Korff wurden je wieder in Kinvara gesehen.

GRANDFATHER'S PET
Trad
5
9
13

3

DAS Céilí war das beste, das es je gegeben hatte, da waren sich alle einig. Zwar gab es einige, die wegen der Sache mit Father Doherty nicht gekommen waren und auch nie wieder kommen würden, aber das waren nur wenige und sehr vereinzelte. Drei der vier Vermissten waren heil und gesund wiedergekommen, und alle waren sicher, dass auch Anne Korff bald wieder zurück sein würde, mit ihrem kleinen Hund auf den Fersen. Die allgemeine Erleichterung zeigte sich offen in den lächelnden Gesichtern der Musiker und den fliegenden Füßen der Tänzer.

Helen staunte über JJ. Etwas war mit seinem Spiel geschehen, während er fort war. Er setzte den Bogen mit solchem Gespür und solcher Selbstsicherheit an und sein Rhythmus war elektrisierend. Sie hatte nie, weder in der Vergangenheit noch in der Gegenwart, ein so beschwingtes und elegantes Spiel gehört. Die alte Geige sang unter seinen geschickten Fingern so schön, dass sie sich fragte, ob selbst eine Stradivari schöner klingen könnte.

Aber das Seltsamste an JJs Spiel waren die neuen Stücke. Etwa nach der Hälfte des Abends stand Helen auf, um sich ein wenig die Beine zu vertreten. Die Tänzer entspannten sich und versammelten sich an der Bar, da sie annahmen, es würde eine Pause geben, als JJ etwas tat, was er noch nie zuvor getan hatte. Er begann, ganz allein ein Stück zu spielen.

Helen hatte bereits auf dem Absatz kehrtgemacht, um ihn zu begleiten, als ihr klar wurde, dass sie das Stück überhaupt nicht kannte. Und auch das nächste und übernächste nicht. Auch Phil kannte sie nicht oder Marian oder irgendeiner der anwesenden Musiker, die an diesem Abend mit den Liddys zusammen feierten. Aber JJ schien auch keine weitere Unterstützung zu brauchen. Der volle Klang der Geige seines Großvaters füllte die Scheune und ließ die Füße der Tänzer sich in einem Rhythmus bewegen, der etwas anders war als alles, was ihnen bislang begegnet war. Sie fanden eine neue Freiheit in der Musik; sie brachen aus ihren fest gefügten Sets aus und improvisierten alleine oder paarweise, mit leichten und freien Armen, Beinen und Herzen.

JJs Wange ruhte leicht auf der Kinnstütze. Seine Augen schauten verträumt in die Ferne und seine Lippen formten sich zu einem unbefangenen Lächeln. Er spielte wie ein Junge, der von Geburt dazu bestimmt war, zum Tanz aufzuspielen; wie ein Junge, der die Musik der Feen gehört hatte; wie ein Junge, der bald zu einem der besten Folkmusiker heranreifen sollte, den Irland je gesehen hatte.

Die anderen Spieler lauschten der Darbietung gebannt. Nur JJ wusste, dass er nicht alleine spielte. Nur er konnte die leisen Töne von Aengus' Fiddle und Devaneys Bodhrán hören, die von dem Klang-Ahorn-Wäldchen in Tír na nÓg herüberklangen und ihn durch die wunderbare Folge von Tänzen führten. Als das letzte Stück verklungen war, fand er sich voll Erstaunen in der Scheune wieder, und noch größer war sein Erstaunen über den Applaus, der auf sein Spiel folgte. Er grinste schüchtern und drückte die Geige gegen die Brust.

»Wo hast du die Stücke gelernt?«, fragte Helen, als sie sich wieder neben ihn setzte. JJ hatte schon vorher beschlossen, bei seiner Geschichte vom Gedächtnisverlust zu bleiben.

»Ich weiß es nicht«, sagte er.

»Du musst sie mir unbedingt beibringen«, sagte Helen. Sie leerte ihr Glas, nahm die Concertina in die Hand und forderte die Tänzer auf, sich für das Plain-Set aufzustellen. »Was sollen wir spielen?«, fragte sie JJ.

»Wie wär's mit *Devaney's Goat*?«

»Oh, wie schön«, sagte Helen. »Das haben wir ja schon ewig nicht mehr gespielt. Und was spielen wir dazu?«

JJ schlug noch ein Stück vor, eines, das er kannte, an das er sich aber nicht mehr richtig erinnerte. Helen stimmte zu, und sobald sich die Tänzer zu ihren Sets zusammengefunden hatten, legte sie mit *Devaney's Goat* los, und JJ stieg mit fröhlicher Leichtigkeit ein, doch als Helen das zweite Stück anstimmte, setzte er für ein paar Takte aus und hörte zu. Blitzartig fiel ihm die Melodie wieder ein. Was für ein tolles Stück. Wie hatte er es nur vergessen können?

Durch das Leck vernahm er ein Zögern, ähnlich dem seinen, und dann das erfreute Einsetzen von Fiddle und Bodhrán, als auch Aengus und Devaney sich erinnerten. JJ konnte förmlich das Lächeln auf ihren Gesichtern sehen und hatte so eine Ahnung, dass dies nicht das letzte Mal sein könnte, dass die beiden sich einem Céilí bei den Liddys anschließen würden.

»Mum«, sagte er zu Helen, als die Stücke zu Ende waren, »hast du schon bemerkt, dass jetzt wieder mehr Zeit zu sein scheint als vorher?«

»Das habe ich allerdings«, sagte Helen. »Alle haben es bemerkt. Es ist erstaunlich.«

JJ lächelte. »Das war mein Geburtstagsgeschenk für dich«, sagte er. »Du hattest dir mehr Zeit gewünscht und ich habe sie für dich gekauft.«

»Wirklich?«, fragte Helen. Sie betrachtete JJ eingehend und beschloss, diese kleine Verrücktheit als Scherz zu nehmen.

»Wirklich«, sagte JJ. »Und eben habe ich dafür bezahlt.«

»Ach ja?«, sagte Helen. »Und wie teuer war sie?«

»Gar nicht teuer«, sagte JJ. »Ganz und gar nicht. Direkt erstaunlich, was man heutzutage für *Dowd's Number Nine* alles kaufen kann.«

DOWD'S NUMBER
NINE
Trad
5
9
13

Glossar

Arpeggio
Akkorde, bei denen die einzelnen Töne nicht gleichzeitig, sondern harfenartig nacheinander erklingen.

Bodhrán
Eine Trommel mit einem Rahmen aus Holz, der mit Ziegenfell bespannt ist. Sie ist der »Herzschlag« der irischen Musik und wird mit dem »beater«, einem doppelköpfigen Holzschlägel, geschlagen.

Camogie
Irisches Mannschaftsballspiel, das hauptsächlich von Mädchen und Frauen gespielt wird. Spielablauf und Regeln sind fast genauso wie beim Hurling (siehe dort). Man spielt mit etwas kleineren Schlägern und nur mit zwölf Spielern pro Mannschaft. Im Unterschied zum rauen Hurling ist beim Camogie kein Körperkontakt erlaubt.

Céilí
Ursprünglich eine Zusammenkunft von Nachbarn in einem Haus, um zu musizieren, zu tanzen und einander Geschichten zu erzählen. Heutzutage bezeichnet das Wort einen informellen Tanzabend, bei dem vor allem Gruppentänze ge-

tanzt werden. Das Céilí lässt sich bis auf Zeiten vor der großen Hungersnot in Irland zurückverfolgen, als »Tanzen an der Wegkreuzung« (Dancing at cross roads) ein beliebter ländlicher Zeitvertreib war.

Celtic Tiger
Der Begriff spielt auf die wirtschaftlich boomenden asiatischen »Tigerstaaten« an. Der »Keltische Tiger« bezeichnet das irische Wirtschaftswunder, den das Land nach dem Beitritt Irlands zur Europäischen Union erlebte.

Concertina
Kleines, achteckiges, akkordeonähnliches Instrument. Auf Zug und Druck erklingen auf derselben Taste jeweils verschiedene Töne.

Dagda
Der Gott des Wetters und Vater unzähliger anderer Götter und Göttinnen des Volkes der Tuatha de Danaan

Danu
Die älteste Gottheit, Mutter des Dagdas und vieler anderer Götter der keltisch-irischen Mythologie

Fianna
In der keltischen Mythologie eine der mächtigsten Kriegerhorden Irlands, eine Art Elitetruppe, die dem Hochkönig diente. Ihr bekanntester Führer war Fionn Mac Cumhail.

Fiddle
Bezeichnung für die Geige in der traditionellen irischen Volksmusik

Michael Flatley
Bekannter amerikanischer Steptänzer irischer Abstammung. Mit seinen Shows machte er den irischen Steptanz weltberühmt.

Fleadh
Das irische Wort für Fest – ein Festival mit einem Wettbewerb für traditionelle irische Volksmusik und Volkstanz

Garda
Irischer Polizist

Garda Síochána
Die irische Polizei

Hornpipe
Ein traditionelles, mehrstimmiges Tanzstück in lebhaftem Tempo, benannt nach dem gleichnamigen Blasinstrument. Ursprünglich wurde der Hornpipe in Holzschuhen getanzt. Die Hornpipes der irischen Tanzfolklore werden im $4/4$-Takt gespielt.

Hundredth Monkey
Das umstrittene »Phänomen des hundertsten Affen« besagt, dass eine neue Erkenntnis von Geist zu Geist kommuniziert werden kann, wenn genügend viele Individuen von ihr erfahren haben. Zunächst bleibt eine neue Erkenntnis auf das Bewusstsein jedes Einzelnen beschränkt. Dann lernen immer mehr aus der Gruppe die neue Methode oder Denkweise kennen – bei den Affen z. B., dass Süßkartoffeln besser schmecken, wenn man sie vor dem Verzehr wäscht. Irgendwann ist dann eine kritische Anzahl von Individuen erreicht, und wenn dann noch ein Einzelner, der »hundertste Affe«, hinzukommt, springt die neue Erkenntnis – so die These – auch ohne di-

rekten Kontakt auf unerklärliche Weise auf andere über, und alle Affen fangen an, ihre Süßkartoffeln vor dem Verzehr zu waschen.

Hurling
Der Nationalsport der Iren, ein sehr schnelles Ballspiel, das Ähnlichkeiten mit Fußball und Hockey hat. Zwei Mannschaften mit jeweils fünfzehn Spielern spielen auf einem sehr großen Spielfeld (größer als ein Fußballplatz) um einen kleinen Lederball, den sie mit hölzernen Schlägern, den Hurleys, bewegen.

Jig
Ein lebhafter Tanz im 6/8-Takt, der mit Fußspitzenspiel und Hackengestampf getanzt wird. Da Jigs sehr kurz sind, werden meist mehrere Stücke hintereinander gespielt, wobei die Melodien fließend ineinander übergehen.

Melodeon
Ein einfaches, diatonisches Akkordeon

Michael Flatley
Bekannter amerikanischer Steptänzer irischer Abstammung. Mit seinen Shows machte er den irischen Steptanz weltberühmt.

Pub
(englisch) Kneipe, Gasthaus

Púka
In der keltischen Mythologie ein boshafter, zauberkräftiger Geist, der zusammen mit Gnomen und Zwergen unter der Erde lebt. Hin und wieder erscheint er den Menschen in Gestalt verschiedener Tiere und treibt seinen Schabernack mit ihnen.

Reel
Ein schneller irischer Volkstanz im 4/4-Takt

Ringfort
Kreisförmiges, niedriges Bauwerk aus Stein, eine Art Umzäunung von 20 bis 100 m Durchmesser. Die meisten Ringforts stammen aus der Zeit zwischen 500 und 100 v. Chr., aber bis ins späte Mittelalter wurden noch Ringforts angelegt. Sie dienten vermutlich vor allem zum Schutz und zur Einfriedung von Siedlungen. In irischen Sagen werden die Ringforts oft mit den Feen in Verbindung gebracht, und bei einigen Plätzen ist gesichert, dass es dort Kultstätten für die heidnischen Götter gab. Daraus erklärt sich wohl auch die große Zahl der bis heute erhaltenen Ringforts. In Irland gibt es allein ca. 45000 Ringforts, von denen nur 250 archäologisch untersucht worden sind.

Sean Nos
(gälisch) im alten Stil

Session
Gemeinsames Musizieren, meist im Pub. Eine Session kann spontan stattfinden oder angekündigt sein.

Set-Dance
Gruppentanz, bei dem die Tänzer in mehreren Sets gruppiert sind. Ein Set besteht aus vier Tanzpaaren, die sich in festgelegten Figuren bewegen, wobei sich die Sets untereinander ständig mischen.

Souterrain
Eine längliche Erdkammer, manchmal auch Folge von Kammern, aus prähistorischer Zeit. Die Seitenwände sind oft Trockensteinmauern, die Decken aus Steinplatten. Souterrains

findet man in Irland, England, Schottland, in der Bretagne und in Norddänemark. Der Zweck dieser Bauwerke ist nicht eindeutig geklärt. Sie könnten Vorratsräume oder Verstecke gewesen sein. Wahrscheinlicher ist allerdings, dass die Souterrains als Kultstätten dienten. Oft sind Souterrains unter Ringforts angelegt.

Tinwhistle
Eine einfache Blechflöte, die ähnlich einer Blockflöte gegriffen wird und eine wichtige Rolle in der irischen Volksmusik spielt.

Tuatha de Danaan
»Das Volk der Danu« – also das Volk, das in den Erzählungen der keltisch-irischen Mythologie von der Muttergottheit Danu abstammt.

Die Titel der Musikstücke
in der Reihenfolge ihres Auftretens

The Irish Washerwoman – Die irische Waschfrau
The Legacy – Das Vermächtnis
The New Policeman – Der neue Polizist
The New-Mown Meadow – Die frisch gemähte Wiese
Lucy Campbell
The Cup of Tea – Die Tasse Tee
The Reconciliation Reel – Der Versöhnungstanz
The Drunken Landlady – Die betrunkene Vermieterin
Rolling in the Barrel – Rollen im Fass (oder: Schleudern in der Trommel)
The Concertina Reel – Der Concertina-Tanz
The Wise Maid – Die kluge Magd
The Stony Steps – Die Steinstufen
Garrett Barry's Jig – Garrett Barrys Tanz
The Teetotaller – Der Abstinenzler
The Priest and His Boots – Der Priester und seine Stiefel
The Fair-Haired Boy – Der blonde Junge
Tomorrow Morning – Morgen früh
Last Night's Fun – Der Spaß von gestern Abend
The Lad That Can Do It – Der Junge, der es schaffen kann
Farewell to Ireland – Abschied von Irland

The Bird in the Bush – Der Vogel im Busch
The Big Bow-Wow – Das große Wau, Wau
The Eavesdropper – Die Lauscherin
The Blackthorn Stick – Der Schlehdornstock
The Skylark – Die Feldlerche
Drowsy Maggie – Die Müde Maggie
The One That Was Lost – Der, der verloren ging
The Setting Sun – Die untergehende Sonne
The Gold Ring – Der goldene Ring
It'll Come To Me – Es wird mir wieder einfallen
The Fairy Hornpipe – Der Feentanz
The Yellow Bottle – Die gelbe Flasche
The Yellow Wattle – Das gelbe Flechtwerk (oder: Die gelbe Akazie)
The Gravel Walks – Die Kieswege
Free and Easy – Frei und ungebunden
Pigeon on the Gate – Die Taube auf dem Tor
The White Donkey – Der weiße Esel
The Cuckoo's Nest – Das Kuckucksnest
The Wild Irishman – Der wilde Ire
Out on the Ocean – Draußen auf dem Ozean
Contentment is Wealth – Zufriedenheit ist Reichtum
The Púka – Der Púka
Sergeant Early's Jig – Seargeant Earlys Tanz
The Green Mountain – Der grüne Berg
The Mountain Top – Der Berggipfel
King of the Fairies – König der Feen
The Angry Peeler – Der wütende Schäler
The Priest with the Collar – Der Priester mit dem Kragen
After the Sun Goes Down – Nach Sonnenuntergang
The Rainy Day – Der Regentag
Devaney's Goat – Devaneys Ziege

The New Century – Das neue Jahrhundert
My Mind Will Never Be Easy – Ich werde nie beruhigt sein
Far From Home – Weit weg von zu Hause
The Maple Tree – Der Ahornbaum
Welcome Home – Willkommen zu Hause
Grandfather's Pet – Großvaters Liebling
Dowd's Number Nine – Dowds Nummer neun

Bibliografie

Lady Augusta Gregory, *Gods and Fighting Men* (Kessinger Publishing Co., 2004)
– *Cuchulain of Muirthemne* (Dover Publications, 2001)
– *Visions and Beliefs in the West of Ireland* (Colin Smythe Ltd., 1976)
James Stephens, *Irish Fairy Tales* (Lightning Source UK Ltd., 2004)
Lady Wilde, *Ancient Legends, Mystic Charmes and Superstitions of Ireland* (1925; Nachdruck: Lemmy Publishing Corporation, 1973)

Jenny Mai Nuyen

Nijura – Das Erbe der Elfenkrone

512 Seiten ISBN-10: 3-570-13058-4
ISBN-13: 978-3-570-13058-2

Ein unglaubliches Vergehen erschüttert den Frieden der Welt: Elrysjar, die magische Halbkrone der Moorelfen, wird von einem machtbesessenen Menschen gestohlen. Er schwingt sich auf zum neuen König, um die Welt mit seiner Schreckensherrschaft zu überziehen. Nur eine Waffe kann das Elfenvolk retten – das magische Messer der Freien Elfen. Das Messer braucht eine Trägerin. Alle Hoffnungen ruhen auf der jungen Halbelfe Nill. Sie ist die Auserwählte – sie ist Nijura.

6213

www.cbj-verlag.de

Kate Thompson

Der vierte Reiter

320 Seiten ISBN 978-3-570-30402-0

Es klingt wie ein normaler Forschungsauftrag: Lauries Vater soll ein Virus entwickeln. Rasch schreitet das Projekt voran, doch albtraumhaft sind die mysteriösen Erscheinungen, die Lauries Vater hartnäckig leugnet. Wer sind die grausigen Reiter, die wie Spukbilder aus dem Nichts auftauchen? Als Laurie in der Bibel auf die vier apokalyptischen Reiter stößt, ahnt sie, dass das Virus zur tödlichen Bedrohung wird ...

6229